# 로베르네 집 Chez Robert

파리 리볼리가 59번지, 유쾌한 무법자들의 아틀리에

# 로베르네 집 Chez Robert
## 파리 리볼리가 59번지, 유쾌한 무법자들의 아틀리에

2003년 4월 25일 | 초판 1쇄 발행
2010년 7월 16일 | 초판 5쇄 발행

지은이 | 장은아
발행인 | 전재국

본부장 | 이광자
주간 | 이동은
책임편집 | 김기남
마케팅실장 | 정유한
책임마케팅 | 김진학

발행처 | (주)시공사
출판등록 | 1989년 5월 10일(제 3-248호)

주소 | 서울특별시 서초구 서초동 1628-1(우편번호 137-878)
전화 | 편집 (02) 2046-2854  영업 (02) 2046-2800
팩스 | 편집 (02) 585-1755  영업 (02) 588-0835
홈페이지 주소 | www.sigongsa.com

값 12,000원

ISBN 89-527-3151-4 03810

# 로베르네 집 Chez Robert

### 파리 리볼리가 59번지, 유쾌한 무법자들의 아틀리에

장은아 지음

춤추는 별을 낳기 위해서는 자기 안에 혼돈을 가져야 한다.

—니체

글이 안 써진다며 축 처져 있을 때면 자신들이 워낙 괜찮은 사
람들이므로 내 글 실력이 모자라도 세계적인 인터뷰 책이 될 거
라던 '로베르네 집' 사람들의 야릇한 위로가 생각난다.

그들의 예언이 적중했는지 세계적인 명저까지는 모르겠지만
가방 한 귀퉁이에 구겨 넣고 돌아온 원고가 세상 밖으로 나올
수 있게 되었다. 이렇게 세상의 빛을 보게 된 책을 보내 주면 이
번에는 그들이 어떤 엉뚱한 말을 할지 궁금하기만 하다. 그들은
"거 봐. 우리 말이 맞지?" 하면서 자신들이 읽을 수 없는 언어
로 쓰인 책장을 넘기며 "음음, 과연 훌륭한 인물들이야. 그렇고
말고." 라고 감탄하며 기뻐할지도 모르겠다. 어쨌든 '로베르네
집' 사람들이 없었다면 이 책도 없었을 것이다.

이들은 나의 친구들로 기억되기까지 내 가슴을 두드리는 많
은 말을 들려 주었다. 그들이 내게 남겨 준 그 무엇을 가슴이 비
어 있는 사람들과 함께 나누고 싶다.

로베르네 집 사람들, 이 책에 대한 아이디어를 준 친구 뱅상과
악투로, 글을 다듬어 준 나의 언니, 장은미에게 고마운 마음 전
한다. 세계는 하나라는 생각으로 대륙을 넘나들며 각국의 문화
를 글과 그림으로 알리고 있는 그녀가 멀리 휴스턴에서 날아와
도움을 주지 않았더라면 이 원고는 파리로 돌아가는 내 가방 한
구석에서 긴 잠을 자고 있을 것이다. 또한 부끄러운 원고 뭉치를
책으로 만들어 주신 시공사 여러분께 깊은 감사를 드린다.

2003년 2월
장은아

5

# 3__ 모두들 안녕, 아비앙토
**에필로그**

# I__미루거나 시무룩해 있기엔 인생이 너무 짧고 소중하지 않니?

**파리의 불법 점거 아틀리에 '로베르네 집'을 찾아서**

# 꾸벅꾸벅 졸고 있을래?
## 무법자들을 만나러 갈래?

2002년 여름. 나는 파리에서 비디오 작업을 하고 있었다. 8월이 되자 날씨가 푹푹 찌기 시작했고 사람들은 바캉스를 떠났다. 나는 파리시의 경계가 끝나는 외곽도로변의 기숙사에 살고 있었는데, 창문을 열면 고속으로 달리는 차 소리가 천둥소리처럼 요란해서 옆에 있는 사람의 목소리도 들리지 않을 정도였다. 하지만 냉방 시설이 없는 좁은 장소에서 창문을 열지 않고 어떻게 지낸단 말인가.

더위와 소음을 이기기 위해 한술 더 뜨는 요란한 테크노 음악을 들어 본다, 아니면 두 가지 악조건에 시달리기보다는 창문을 꼭 닫고 더위에만 전념해 본다, 혹은 더위에 한몫 하고 있는 컴퓨터를 잠재우고 소음을 빗소리 삼아 잠을 청해 본다, 그것도 아니면 한줄기 시원한 바람이라도 쐴까 해서 복도로 나 있는 문을 열어 비밀스런 사생활을 공개한다 등 다양한 방법을 써 봤지만 도무지 견딜 수가 없었다.

같은 기숙사에 사는 사람들도 약간 머리가 이상해졌는지 휴지통을 비우러 복도에 나갔다가 문이 열려 있는 내 방으로 버젓이 들어와 세수를 하고 나가는 사람도 있었다. 방이 모두 똑같이 생긴 데다 폭염과 소음에 시달린 탓에 머릿속이 약간 어수선하게 흐트러져 그들은 다른 사람의 방과 자신의 방을 구별하지 못하게 된 것이다.

나도 여기서 더 버티다가는 털이 부숭부숭 난 남자들의 방을 내 방이라고 착각하면서 세수를 하고 이를 닦게 되겠지. 그러다가 어느 방에 들어가서 남의 옷장을 열고 옷이라도 훌렁 벗게 되면 이를 어쩐다.

할 수 없다. 이곳을 나가야 해. 견딜 수가 없잖아. 나가는 거야. 나가서 뭘 하지? 할 일도 산더미 같은데 관광객 차지가 되어 버린 텅 빈 시내에서 뭘 하지?

혼자서 그렇게 중얼거리고 있는데 전화벨이 울렸다.

악투로?
**응, 우리 1구에 있는 점거 아틀리에에서 하는 전시회 보러 가
 지 않을래?
점거 아틀리에?
**말 그대로 점거한 아틀리에야. 1구에 은행과 정부가 폐쇄해
 놓은 빈 건물을, 작업실이 없는 예술가들이 점거해서 아틀리
 에로 쓰고 있어.
그러니까 그 예술가들이 무법자들이란 말이니?
**굳이 따진다면 그 비슷한 그룹에 속한다고 할 수 있겠지.
그런데 누구나 들어갈 수 있다고?
**응, 매일 전시회와 공연이 열려. 게다가 모두 무료야.
좀 이상한 무법자들이군.

  가난한 예술가들이 있다. 비어 있는 건물을 무단 점거해서 아
틀리에를 확보했다. 불법 아틀리에의 문은 모든 사람들에게 활
짝 열려 있고 끊임없이 새로운 전시회와 공연이 무료로 열린다.
  당연한 일이 벌어지고 있는 것 같기도 하고, 왠지 좀 이상한
각본 같기도 하다. 헬렐레 졸고 있던 호기심이 반짝 깨어나 어
서 무거운 엉덩이를 움직이라며 무차별 공격을 가해 왔다.
  좋아, 당장 가자!

  그렇게 해서 더위와 소음을 핑계 삼아 내 여름날이 엿가락처
럼 늘어지려는 찰나, 리볼리가 59번지를 방문하게 되었다.
  고맙다, 악투로!

  파리시는 중심부에서 시작해서 달팽이 모양으로 1구에서 20
구까지 나뉘어 있다. 리볼리가 59번지 아틀리에는 파리 한가운
데 지역인 1구에 있다. 1구는 센 강을 끼고 법원과 파리 시청 그

물고기로 장식된 로베르네 집 외관.

리고 루브르 박물관, 노트르담 성당과 같은 관광 명소들이 여기 저기 자리 잡고 있는 곳이다. 국립 현대 미술관이 있는 퐁피두 센터도 몇 분 거리에 있다.

리볼리가로 들어서니 각종 상점들이 줄지어 늘어서 있는 거리에 옷 가게를 사이에 두고 하늘색과 노란색으로 대강 칠해져 있는 아틀리에 입구가 눈에 확 들어왔다. 악투로가 그 건물을 가리키며 바로 저기라고 가르쳐 주었다.

7층 건물 전면에는 양철로 만든 사람의 눈, 코, 입이 큼직하게 붙어 있고 알록달록한 색의 물고기들이 매달린 그물이 걸려 있었다. "로베르네 집, 자유로운 전자(Chez Robert, Electron Libre)"라는 글자가 보였다. 그리고 "가난은 범죄가 아니다(La Pauverté n'est pas un crime)."란 플래카드도 보인다. 이 점거 아틀리에는 '59 리볼리' 또는 '로베르네 집'이라고 불린다고 악투로가 설명해 주었다. 로베르가 누구냐고 묻자 자기도 모르겠단다.

주위를 지나는 사람들도 도대체 저기가 뭐 하는 곳이냐며 묻는 소리가 여기저기에서 들렸다. 글쎄 말이다. 쇼핑객이 들끓는 백화점과 화려한 상점만 가득한 리볼리가에서 '로베르네 집' 사

사라의 작품인 깡통 얼굴.

람들은 지금 뭘 하고 있는 거지?

아틀리에로 들어가는 입구에서는 바디 페인팅을 한 남녀가 퍼포먼스를 하고 있었다. 점점 강렬해지는 호기심이 나를 안으로 떠밀었다. 좁은 입구에 자리 잡은 책상 위에는 리볼리가 59번지에 아틀리에가 생긴 역사를 간략하게 소개한 종이가 놓여 있었다.

점거 아틀리에란 말은 솔직히 내게 아주 낯설었다. 물론 점거란 단어도 알고 아틀리에란 단어도 알고 있다. 그러나 내게 익숙한 점거라는 단어는 어디어디 대사관이나 문화원 점거, 점거 농성과 같은 낱말의 조합 속에서였다. 그러므로 점거란 단어는 언제나 경찰력 투입, 강제 연행, 고문, 때로는 죽음의 냄새를 풍기는 비극적인 맥락에서만 존재해 왔다. 그 단어의 진취성 역시 슬픈 코드를 포함하고 있었다. 그러나 리볼리가 59번지 아틀리에의 짧은 역사는 점거란 단어가 때로는 평화적인 결말로 이어지기도 한다는 사실을 보여 주고 있었다.

1999년 11월 1일 밤 칼렉스, 가스파르 그리고 브루노(이곳에서는 보통 KGB로 통한다)란 이름의 세 사나이는 작업 공간이 없는 예술가들과 함께 리볼리가 59번지의 폐쇄된 건물을 점거했다. 그리고 리볼리가 59번지가 자유로운 예술 공간이 되었음을 선포했다. 리볼리가 59번지에서 새로운 역사의 장을 연 주요 인물인 KGB에 대해 부연 설명을 하자면, 이들은 지금은 사라진 옛 소비에트 연방의 악명 높은 비밀 경찰 조직인 KGB와는 아무런 연관이 없다. 단지 칼렉스(Kalex), 가스파르(Gaspard), 브루노(Bruno)라는 자신들의 이름에서 이니셜을 따 봤더니 얼떨결에 KGB가 되었다고 한다.

문제의 건물은 크레디 리오네란 은행과 프랑스 정부에 의해 폐쇄되어 지난 몇 년 동안 아무도 살지 않고 비어 있는 상태였다. KGB는 순식간에 지난 몇 년간 도심 한복판에 쓰레기 더미로 가득 찬 채 비워져 있던 공간을 새로운 장소로 변화시키기 시작했다. 버려진 곳을 문화적인 공간으로 만들고, 가난한 예술가들에게 창조할 수 있는 작업 공간과 주거할 수 있는 공간을 제공하며, 작품을 전시하고 싶어하는 예술가들에게 전시할 수 있는 장소를 마련해 주겠다는 것이 이들의 목표였다.

리볼리가 59번지의 빈 건물은 곧 25명의 예술가들이 마음껏 작업하고 전시할 수 있는 활기찬 장소로 탈바꿈했다. 기존의 점거 예술가 집단들이 아틀리에를 확보한 후 폐쇄적인 노선을 걷는 것과는 대조적으로, 이들은 점거한 장소에 '로베르네 집, 자유로운 전자'란 이름을 붙이고 일반인에게도 자신들의 공간과 아이디어를 최대한 개방했다.

이들은 일반 대중에게 일요일을 제외하고 매일 오후 1시 30분에서 저녁 7시 30분까지 아틀리에의 문을 활짝 열어 다양한 전시회와 공연을 무료로 관람할 수 있도록 했다. 그리고 전시

KGB 결단식,
이고발루트 미술관 소장.

공간과 공연할 장소를 확보하지 못한 다른 예술가들에게도 열린 기회를 제공했다. 또한 예술가들이 작업하고 있는 공간 역시 개방함으로써 리볼리가 59번지 아틀리에를 방문한 사람이면 누구나 그들의 작품을 감상하고, 작업하는 모습을 구경할 수 있을 뿐 아니라 작가와 직접 얘기를 나눌 수도 있게 하였다.

그러나 리볼리가 59번지 예술가들이 멋진 아이디어를 실천에 옮기기 시작했지만 불행히도 현실적인 문제들은 아주 복잡하게 남아 있었다.

법적인 건물주였던 프랑스 정부는 이들을 몰아내기 위해 먼저 경찰에 신고를 했고 2000년 2월 4일, 이들을 상대로 소송을 제기했다. 로베르네 집 사람들은 변호사의 도움으로 6개월 동안 그곳에 머물 수 있게 되었다.

프랑스 언론이, 유럽에서 수년 전부터 시도되었던 예술가들의 점거 사례를 들추며 이들의 불법 점거 사건에 관심을 갖자 일부 정치인들도 점거 예술가들을 동조하고 나섰고, DAP 순수미술협회가

일반인들에게 아틀리에를 공개한다는
안내 표지판과, 로베르네 집이
파리의 명소가 되었음을 알리는
안내문과 기사.

이들을 지원하기 시작했다.

그러자 프랑스 문화성은 이들의 행위를 단발적인 사건이 아니라 하나의 지속적인 운동으로 검토하기 시작했다. 그와 함께 이들을 강제 추방하려는 움직임이 서서히 둔화되어 갔다.

그러나 로베르네 집의 점거 예술가들은 즉각적인 추방령을 받을 수 있는 불안한 상태에 계속 머무르면서 현 상황의 탈출구가 될 수 있는 파리 시장 선거의 결과를 초조하게 기다려야만 했다.

다행히도 선거 결과는 이들에게 유리하게 작용하기 시작했다. 새로운 파리 시장으로 당선된 좌파 출신의 베르트랑 들라노에는 이들에게 얼마간 그곳에 더 머무를 수 있도록 유예기간을 주었고 새로 임명된 문화보좌관인 크리스토프 지라르는 이들이 추방령을 받지 않도록 최선을 다했다.

프랑스 문화성은 로베르네 집을 방문한 관람객의 수가 연간 4만 명에 달해 파리에서 세 번째로 많은 관람객을 가진 현대미술의 명소가 되었다는 내용을 발표했다.

그러나 이들 점거 예술가들을 추방하기 위한 정치적인 해결방안이 다시 대두되기 시작했고 로베르네 집 사람들은 파리 시장에게 리볼리가의 점거지를 영구적으로 사용할 수 있도록 해 달라는 내용의 글을 보냈다.

6개월 후 베르트랑 들라노에는 『피가로스코프』지와의 인터뷰에서 파리시가 정부 소유로 되어 있는 리볼리가 59번지 건물을 매입할 예정이며, 건물의 안전 지침이 준수된다는 조건하에서 로베르네 집 예술가들에게 그대로 공간을 제공할 것이라고 밝혔다. 또 점거 행위에 대해서는 가벼운 벌금형을 부과할 것이라고 했다.

리볼리가 59번지의 불법 점거 아틀리에는 이처럼 천천히 합법화의 과정을 밟기 시작했다. 첫번째 단계로 리볼리가 59번지의 점거 예술가들은 '로베르네 집, 자유로운 전자'라는 집단으로 머물지 않고 '59 리볼리'라는 협회를 만들었다. 집단의 자격으로는 정부와 법적인 협상을 할 수 없기 때문이다. 또한 파리시청에서는 건물의 안전 상태도 확인하였다. 그러나 로베르네 집이 완전히 합법화된 공간이 되려면 아직도 많은 시간이 필요하다고 한다.

여기서 이 자유로운 공간의 이름을 정리해 보면, 리볼리가 59번지 점거 아틀리에는 세 개의 이름을 가지고 있다. 사람들은 기분이 내키는 대로 이 세 이름 가운데 하나를 골라서 또는 뒤섞어서 부른다. 그 첫번째는 자유로운 전자(Electron Libre)로, 이곳을 점거한 예술가들이 자신들의 정체성을 나타내는 애칭으로 붙인 이름이다. 두 번째는 법적인 주소지를 나타내는 리볼리가 59번지 또는 59 리볼리이다. 세 번째는 로베르네 집(Chez Robert)인데 로베르가 누구인지, 왜 이곳이 로베르네 집으로 불리게 되었는지에 대해서는 뒤에 등장할 가스파르와의 인터뷰 내용에서 밝혀질 것이다.

로베르네 집의 좁은 입구에 들어서서 계단을 오르려면 꽤 인내
심을 가져야 한다. 계단 옆의 벽은 낙서와 그림으로 가득하고,
관람객들로 보이는 사람들이 줄지어 계단을 오르내리고 있기 때
문이다. 악투로와 나는 맨 위층인 7층으로 올라가서 작품을 감

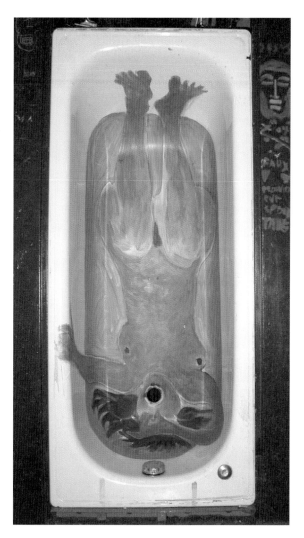

입구에 설치된, 사라의
"욕조 안에서 잠수하는 여자."

로베르네 집 식구들의
그림과 낙서가 가득한 벽.

상하며 한 층씩 내려오기로 했다. 모든 아틀리에는 활짝 열려
있다. 정확히 말하자면 문이 있는 아틀리에가 없다고 해야 옳
다. 굉장하지 않은가?

맨 위층 엘리베이터를 막아 놓은 자리에는 벌거벗은 여자를
거꾸로 그려 넣은 욕조가 세워져 있다. 욕조 속 여자는 한 손으
로 코를 쥐고 입을 한껏 벌리고 있다. 여자의 딱 벌리고 있는 입
이 바로 욕조 물이 빠져나가는 배수구란 점은 유머러스하기 그
지없다.

이곳에서는 독일의 무단 점거 아틀리에에서 작업하고 있는
사람들의 작품도 전시중이다. 노트북 컴퓨터에서 연필, 칼, 크루
아상, 망치, 접시 등 일상 생활에서 우리들이 흔히 보는 물건들
을 정교하게 흙으로 빚어 벽과 책상 위에 가득 늘어놓았다. 흙
으로 빚은 컴퓨터와 마우스라니, 정말 재미있지 않은가?

관람객들은 누군가의 아틀리에에 거침없이 들어가서 작품을

뚫어지게 바라보기도 하고, 작업하고 있는 젊은 예술가에게 작품이 마음에 든다며 자신의 느낌을 말하기도 한다. 때로는 창문을 열어 놓은 베란다에서 내다보이는 파리 시내를 사진 찍는 사람도 있다.

어떤 작업실에는 "제 작품을 사 주지 않아 감사합니다."란 문구가 커다랗게 써 있기도 하고 "여자도 그림 그릴 줄 안다." 란 내용이 붙어 있기도 하다. 악투로의 설명에 의하면 이곳에서는 원한다면 직접 작가에게서 작품을 구입할 수 있다고 한다. 물론, 작가가 작품을 팔지 않겠다면 구입할 수 없기도 하다. "여자도 그림 그릴 줄 안다."는 문장은, 폐쇄되어 있는 빈 건물을 무단 점거하는 일이 대부분 남자가 주축이 되어 일어나므로 점거 아틀리에에서 작업하는 예술가들 역시 남자가 월등히 많다는 배경에서 나왔을 것이라고 악투로는 해석했다. 어떤 아틀리에 입구에는 작업하고 있는 예술가의 이름과 이메일 주소, 전화번호 그리고 호당 그림 가격까지 친절하게 적어 놓은 종이가 붙어 있다.

이곳은 불법 점거 아틀리에라는 단어가 주는 과격한 인상과는 달리 자유롭고 창조적인 바이러스로 꽉 차 있다. 나는 어느새 그 바이러스에 감염되었는지 갑자기 두 주먹이 불끈 쥐어진다고 악투로에게 말하려는데, 그가 사라져 버렸다. 위아래로 몇 번 오르락내리락한 끝에 간신히 그를 발견했다. 그는 해변처럼 꾸며 놓은 설치 작품을 촬영하고 있었다. 그 설치 작품에는 모래 사장과 야자수가 꾸며져 있었는데, 바처럼 꾸며 놓은 안쪽에서 하와이언 셔츠에 밀집 모자를 쓴 사람이 악투로와 내게 한잔하고 가라고 말했다. 모자 쓴 인물과 그의 대사까지 설치 작품일까? 그렇다면 우리가 바 안으로 들어가 주인장이 권하는 대로 한잔하는 것도 작품의 일부가 되겠지. 악투로에게 한잔하자는 말을 건네 보지만 그는 또다시 지병이 도진 상태이다.

소개가 좀 늦었지만 악투로로 말하자면 장래가 유망한 멕시코 출신 건축가이다. 대학 시절 교환학생으로 프랑스에서 잠시 공부한 적이 있고 지금은 공부를 마치고 프랑스 건축 회사에서 일하고 있다. 그렇다고 그가 벌써 굉장한 건물을 지었거나 그 비슷한 프로젝트에 참가했던 것은 아니다. 하지만 감탄하는 일이 매우 드문 나를, 악투로는 벌써 여러 번 감탄의 도를 넘어 기절 직전까지 데리고 갔으므로 그의 장래가 유망하다는 사실을 인정하지 않을 수 없다.

예술가들은 어떤 면에서 지독하게 이기적이다. 그러나 악투로는 때때로 이기적인 단계를 넘어 기억 상실증의 차원을 넘나들곤 한다. 가령 여러 사람들과 길을 걷고 있다고 하자. 악투로는 "잠깐!" 하고 소리 지르며 번개처럼 카메라를 꺼내 무엇인가를 찍는다. 사람들은 대수롭지 않게 잠시 악투로를 기다린다. 그러나 악투로의 촬영은, 기다리는 사람들의 다리가 쑤셔 오면서 육체적·정신적으로 몹시 쇠약해질 때까지 계속된다.

이와 같은 악투로의 즉흥 촬영 작업은 때와 장소를 가리지 않

"제 작품을 사 주지 않아 감사합니다."

고 행해지므로 반나절쯤 그와 함께 다닐 생각이라면 다리가 부러질 각오를 하고 참을 인(忍)자를 백 개쯤 마음에 품고 출발해야 할 것이다.

그런데 중요한 사실은 그렇게 찍은 사진들이 정말 뛰어나다는 점이다. 부전공인 사진이 그 정도니 전공인 건축 일을 할 때는 어떻겠냐는 게 내 생각이다. 미안하다 악투로, 너의 지병을 공개적으로 밝혀서. 하지만 병은 알릴수록 빨리 낫는다고 하더라. 글쎄 네 증상에 알맞은 말인지는 나도 모르겠다.

첫번째 방문은 이렇게 끝났다. 첫 방문에서 59 리볼리 바이러스에 심하게 감염된 나는 한증막 같은 좁은 방 안을 빙빙 돌며 그들에 관한 호기심이 점점 강해지는 것을 억제할 수가 없었다. 창조적인 에너지가 가득한 자유 공간을 눈앞에서 지울 수가 없었다.

나는 그 공간의 주인공들이 자신들의 삶에 대해 무슨 생각을 하고 있는지, 무엇을 위해 어떻게 예술가의 삶을 살고 있는지 당장 물어 보고 싶어졌다. 그 호기심은 내 삶에 대한 해답을 발견하고 싶다는 간절한 바람에서 비롯된 것이기도 했다.

나는 당장 다음날부터 로베르네 집으로 달려가 그들에게 질문을 퍼붓기 시작했다. 그런데 그 지독한 바이러스는 치료될 줄을 몰랐다. 이상한 일이었다. 로베르네 집 사람들이 내 질문에 진심 어린 답을 해 줄수록 59 리볼리 바이러스의 감염 증세는 날로 심해지는 것이었다.

### 59 리볼리 바이러스의 감염 증세

정체를 알 수 없는 무언가에 떠밀려 가고 있던 사람들이 누구보다 이 바이러스에 쉽게 감염된다. 증세를 보면, 우선 방향 감각이 갑자기 심하게 마비된다. 감염자는 떠밀림을 당했던 등과 어깨 부분에 강한 통증을 느끼게 되므로 자신을 떠밀고 있는 무엇인가를 자신도 모르게 돌아보게 된다.

이때 자신을 떠밀고 있는 것의 정체를 처음으로 파악하게 되는 경우가 많다. 그러나 대부분의 경우 감염자는 실제로 자신을 떠밀고 있는 것은 아무것도 없다는 사실을 발견하게 된다. 자신을 떠밀고 있던 것은 스스로 만들어 낸 '핑계 귀신'이었다는 사실과 함께.

시간이 흐를수록 마비되었던 방향 감각이 서서히 회복되지만 등과 어깨는 누군가 또는 무엇인가에 떠밀릴 때마다 더욱 참을 수 없는 통증을 느낀다. 그러므로 감염자는 비명을 지르며 뒤돌아 서서 두 주먹을 불끈 쥐고 자신을 떠밀고 있는 것에 대한 육탄 공격에 임한다.

통증 제공자는 핑계 귀신이든 뭐든 간에 그 자리에서 매우 비참한 최후를 맞게 된다. 일단 이 바이러스에 감염되면 회복 가능성은 매우 희박하다. 날이 갈수록 증세가 심화된다.

리볼리가 59번지 바이러스의 이름은 '자유'이다.

로베르네 집은 국립 현대 미술관이 있는 퐁피두 센터와 10분 정
도 떨어진 곳에 있다. 퐁피두 현대 미술관에서 만날 수 있는 작
품들을 탄생시킨 예술가들은 거의 모두 이 세상 사람이 아니다.
그러므로 관람객들은 입장료를 지불하고, 미술관에 들어가서 예
술가들이 세상을 떠난 후 비로소 평가의 반열에 올라 새로운 삶
을 시작한 작품들을 감상할 뿐이다. 우리는 보통 그와 같은 방
법으로 거장의 작품과 만난다.

유명한 미술관일수록 내 마음에 들든 그렇지 않든, 비평가들
로부터 일단 가치를 인정받은 그림들이 거장의 이름을 후광으로
업고 보기 좋게 걸려 있다. 그런 그림의 가격은 비현실적이라고
느껴질 정도로 어마어마하다.

지금까지 나는 이와 같은 시스템이 어딘가 이상하다거나 잘
못되었다고 생각해 본 적이 없었다. 그런데 지난번 로베르네 집
을 둘러보고 난 뒤, 세상을 떠난 거장들의 그림이 정적 속에 질
서 정연하게 걸려 있는 현대 미술관이야말로 묘지와 같이 쓸쓸
한 장소가 아닐까 하는 생각이 불쑥 들었다.

나는 그림을 좋아한다. 그림은 언제나 내게 영감을 주었고 용
기를 주었고 위안을 주었다. 그래서 시간이 날 때면 미술관에 가
곤 했다. 언젠가 이곳을 떠나서 문득 파리가 그리워진다면 그건
피카소 미술관이나 로댕 미술관 그리고 퐁피두 현대 미술관이 있
기 때문일지도 모르겠다. 런던이 그리워진다면 테이트 갤러리에
서 본 블레이크 전을 잊을 수 없기 때문일지도 모른다. 암스테르
담이 그리워진다면 비인간적인 유리 액자에 갇혀 비명을 지르고
있는 반 고흐의 그림이 있기 때문일지도 모른다.

만약 어딘가에서 작업에 열중하고 있는 반 고흐를 직접 보면
어떨까? 그의 초라한 아틀리에에 걸려 있는 그의 그림을 보면
어떨까? 아무도 거들떠보지 않았던 무명 시절의 반 고흐이므로

25

감동이 덜할까?

아니다. 창작하는 인간의 모습은 그가 누구이든 간에 감동을 주고 인간이 창조한 작품은 모두 성스럽고 아름답다. 걸작과 졸작을 따지기 전에는 말이다. 그에게 조그만 소리로 당신의 그림을 좋아한다고 말할 수도 있겠지.

나는 로베르네 집으로 향하며 끊임없이 상상의 날개를 폈다. 그럼 프리다 칼로는? 로스코는? 베이컨은? 브뤼겔은?

"안녕!" 하고 누군가 말을 걸어 오는 소리에 깜짝 놀라 나도 얼떨결에 "안녕!" 하고 답했다. 어느새 나는 로베르네 집으로 들어가는 푸른 입구를 통과하고 있었다.

지난번보다 별로 사람이 없었다. 2층과 3층에 있는 전시장에도 사람이 뜸했다. 아직 좀 이른 시간인 것 같았다. 다시 꼭대기 층으로 올라갔다. 아무도 없었다. 나는 고요함 속에서 그림을 봤다. 주인이 없는 아틀리에에서 혼자 그림을 둘러보고 있으려니 금지된 행동을 하는 기분이었다. 그래서 아래 층으로 내려가 다른 작업실로 들어갔다.

그곳에는 사람처럼 두 발로 서 있는 동물들을 현란한 야광색으로 빛나게 그린 그림이 가득 놓여 있었다. 누군가 안으로 들어왔다. 키가 휘청 큰 여자였다.

당신의 그림인가요?
•• 그래요.
당신의 동물은 인간처럼 두 발로 서 있는데 특별한 의도가 있는 건가요?
•• 인간들은 자주 동물처럼 의식 없는 행동을 하잖아요.
그림에 대한 설명을 해 줘서 고마워요.
•• 천만에.
여기는 나처럼 그림을 보기 좋아하는 사람들에겐 굉장한 곳이란 생각이 들어요. 하지만 이렇게 완전히 개방된 장소에서 그림을 그리긴 쉽지 않을 것 같아요.
•• 그래요, 쉽지 않아요.

이제 당신이 조용히 작업할 수 있도록 놔둘게요.

　　나는 그녀가 일할 수 있도록 다른 작업실로 들어갔다. 그곳에
는 테크노 음악이 왕왕 울리는 와중에도 심각한 표정으로 그림
을 그리고 있는 사람이 있었다. 빗살 형태로 빨강, 노랑, 파랑,
초록을 여러 가지 방향과 구도로 칠해 놓은 그림들이 바닥에 세
워져 있었다. 음악소리가 너무 커서 말을 하려면 고함을 질러야
할 것 같았다. 이 음악은 그림 그리는 데에 몰두하기 힘든 이곳
에서 방해받지 않기 위해 생각해 낸 일종의 자기보호 방법일지
도 모르겠다. 아니면 골수 테크노 광인지도 모르지. 그의 그림을
보는 사람도 그림을 그리고 있는 사람과 함께 테크노 음악을 즐
기지 않는다면 서둘러 나오는 수밖에 없을 것 같았다. 나처럼
말이다. 계단을 내려가다가 아까 입구에서 인사를 한 매력적인
여자와 마주쳤다.

또 만났군요.
"" 그러게 말이에요.
당신도 여기에서 작업하나요?
"" 그래요.
당신의 그림을 보고 싶군요. 나는 여기 리볼리가 59번지에 관한
책을 써 보고 싶어요. 이곳에는 내 속의 무엇인가를 흔드는 것
이 있어요. 나를 좀 도와 줄 수 있나요?
"" 어떻게 도와 줄까요?
내게 시간을 잠깐 내 주세요.
"" 그렇게 해요.
내일 어때요?
"" 좋아요.

　　그 후 로베르네 집이 문을 닫는 일요일을 제외하고 두 달 동
안 거의 매일 그들을 찾아가서 그림을 보고 사진을 찍고 얘기를
나눴다. 물론 쉬운 일은 아니었다. 처음 만나는 사람과 '우리 진
지하게 얘기 좀 해 볼까?' 라며 분위기를 조성해도 이야기가 쉽

27

로베르네 집 앞을 지나는
수많은 파리지앵.

게 풀리는 것은 아니기 때문이다. 게다가 로베르네 집이 파리 한복판에 있는 현대 미술의 명소로 떠오르기 시작하자 전 세계에서 수많은 기자들이 몰려와서 취재를 해 가는 통에 로베르네 집 식구들도 인터뷰에는 신물이 나 있었다. 하지만 무엇보다도 나는 그들의 작품을 사랑했고 내 진심을 그들에게 설득하기 위해 노력했다.

두 달 후 나의 노력은 헛되지 않았다는 사실이 증명되었다. 나는 그곳에서 작업하고 있는 16명의 예술가들과 흥미진진한 인터뷰를 했으며 서로를 좋아하게 되었다. 모두 나름대로 심오하면서도 심플한 인생 철학을 가지고 있었다.

당신이란 경칭이 너란 친칭으로 바뀌고 '너 또 왔구나.'란 말이 '너 크레프 먹을래?'로 바뀌는 동안 그들과 나 역시 서로를 길들였음이 분명했다.

'나도 이제 파리를 생각하면 서로를 길들인 로베르네 집 사람들이 떠올라 더 행복해지겠지.'

그들을 찾아가는 길은 바로 나를 찾아가는 길이었다.


리볼리가 59번지의 사람들은 아직 해결되지 않은 복잡한 법적 문제에도 불구하고 흔들림 없이, 1999년 11월 1일 점거를 행했을 때 그들이 꿈꿨던 목표를 실현하려고 노력하고 있다.

그들은 지금까지 작업 공간이 없는 많은 예술가들에게 작업 공간을 제공했고, 공연과 전시 공간을 최대한 개방했으며, 예술가뿐 아니라 일반인들도 인간미 넘치는 문화 공간으로 초대하고 있다.


로베르네 집 사람들은 자신과의 약속을 실천해 나가는 동시에, 관료적이기만 하던 정부의 문화 정책이 가난한 예술가들에게 실질적으로 도움이 된 특이한 사례 역할을 하고 있다.

관람객들은 종종, 작업 공간이 필요하다는 이유로 불법 점거란 위법 행위를 해서 장소를 확보하고 그림을 그리는 게 옳은 일이냐고 그들에게 묻기도 한다. 그리고 격렬한 토론이 벌어지기도 한다. 그러나 이러한 활발한 움직임은 모두 로베르네 집이 살아 있는 예술 공간임을 입증하는 증거이기도 하다.

과연 그들은 무슨 생각을 하며 어떻게 살고 있을까? 이제 직접 그들의 삶 속으로 들어가 보자.

# 2___ 불행해지는 건 아주 어려운 일이라는 걸 알게 돼, 행복해지는 법을 터득한다면

**로베르네 집의 행복한 예술가들을 만나다**

# *피투,
## 미소 속에 감춰진 촉촉한 눈물

아르헨티나에서 태어나다.
바다와 숲을 사랑해서 기회만 있으면 섬으로 훌쩍 떠나 맨발로 돌아다닌다.
건강이 별로 좋지 않은 카세트로 음악을 즐겨 듣는다.
언뜻 들으면 즐거워서 춤을 추고 싶지만 춤을 추다 보면 슬퍼지는 레게 음악을.
하지만 음악소리가 제대로 흘러나오는 일은 매우 드물다.

❋로베르네 집에서 피투를 찾아 층계를 오르락내리락한다. 피투가 보이지 않는다. 악투로와 처음 이곳에 왔을 때 설치 작품 속의 해변 바에서 한잔하고 가라고 말했던 사람이 바로 그 여름 해변을 싹싹 청소하고 있다. 그에게 피투의 방이 어딘지 아냐고 묻자 그의 방은 3층 화장실 옆이라고 친절하게 가르쳐 준다. 이때 피투가 지나간다. 그는 "피투, 어떤 사람이 널 찾아왔어." 하고 소리를 지른다.

나는 피투와 아틀리에 바닥에 마주 앉는다. "잠깐만." 하고 피투는 라이터를 찾는지 담배를 들고 방 안 여기저기를 돌아다니다가 할로겐 스탠드를 기울여서 불을 붙이고 앉는다. 정말 그럴 듯한 방법이다.

우리는 몇 마디 의례적인 말로 인터뷰를 시작한다. 불어로 존칭Vous을 써서. 잠시 후 피투가 친칭Tu으로 얘기해도 되겠냐고 묻는다. 나는 물론이라고 말하며, 그림과 작업실 사진을 찍고 대화 내용을 녹음해도 되겠냐고 그에게 양해를 구한다. 그녀는 선선히 허락한다.

어색한 인터뷰가 막 시작되자마자 관람객이 들어와 우리에게 인사를 한다. 그리고 옆 방에서 열리고 있는 사진 전시회의 작가 이름을 혹시 아냐고 묻자 피투는 "벽에 써 있는 붉은 글씨를 읽어 보세요." 하고 말하더니 다시 "이리로 따라 오세요." 하고 그 사람을 데리고 복도로 나간다. 조금 후 그녀는 다시 들어와 바닥에 앉아서는 종이를 펴고 그림을 그리기 시작한다. 마치 수줍음을 감추려는 것처럼.

피투의 아틀리에.

이름, 나이, 국적을 말해 줄래?

** 피투, 스물여섯 살, 아르헨티나. 나는 사월에 태어났어. 너는
몇 월에 태어났니?

나는 시월에 태어났어. 그런데 어떻게 이곳에 오게 된 거니?

** 이곳으로 오기 전에는 에콰도르에 있었어. 어느날 내 친구가
찾아와서는 다짜고짜 내가 그림 그리는 걸 본 지 너무 오래
됐다면서 왜 진지하게 작업을 하지 않냐고 물었어. 그러더니
함께 유럽에 가자고 하더라. 유럽에는 빈 집을 점거해서 작업
하는 사람들이 많다는 거야. 친구와 나는 그렇게 해서 파리로
왔어.
이곳에 처음 왔을 때 조각가인 칼렉스가 그의 아틀리에에서
내가 여러 가지 작업을 할 수 있도록 도와 줬어. 그러다가 빈
작업실이 나서 이렇게 여기 있게 된 거야. 에콰도르에서 게으
름을 피우고 있던 나를 이리로 데려온 친구도 지금 여기서 작
업하고 있어. 그 친구의 이름은 자밀라야.

아르헨티나에 돌아가고 싶을 때는 없니?

** 그곳은 내 고향인 걸…… 하지만 아르헨티나는 엄청나게 심

각한 상황이야. 한 마디로 좋았던 적이 없는 나라라고 할 수 있지. 지금은 정말 최악이야.

피투의 설명에 따르면 아르헨티나는 반세기에 걸친 군부 독재 정치에 시달리다가 최근에서야 민간 정부가 들어섰고, 현재 최고의 실업률을 기록하면서 극심한 경기침체를 겪고 있기 때문에 사회가 매우 불안정한 상태라고 한다. 우리나라는 아르헨티나와 같이 최악의 상태는 아니지만 피투의 지금 기분을 이해할 수 있을 것도 같다. 나는 얼른 다른 질문을 던진다.

그런데 왜 예술가라는 직업을 선택했니?

** 예술가가 된 가장 큰 이유는 그림 그릴 때가 가장 즐겁기 때문이야. 그래서 대학에서 순수 미술을 전공했고 아틀리에에서 작업을 시작했어. 그때부터 본격적으로 예술가란 직업을 선택해서 계속 그림을 그려 왔어. 여러 곳을 여행하며 잠깐씩 갖가지 일을 해 본 적도 많지만 모두 그림을 그리기 위해서였어. 그림을 그리고 대자연 속을 걸어 다니고…… 나는 정말

피투의 즉석 자화상,
"우우, 이게 나야."

섬이 좋아.

네게 예술은 뭘 의미하니?

•• 뭔가를 가르쳐 주는 것, 거울에서 자신의 모습을 발견하듯 스
스로 내 속에서 뭔가를 찾아 내는 것, 나를 닮은 어떤 것, 처
음 여기에 왔을 때 내 안에는 엄청난 에너지가 있었어. 그런
데 지금 그리고 있는 그림을 봐. 벌써 표정이 축 늘어져 있잖
아. 우우, 이게 바로 나지 뭐.

예술가는 보통 사람들과 다르다고들 말하잖아. 너는 이 말을 어
떻게 생각하니?

•• 예술가는 남다른 감성을 가지고 있는 사람들이라서 그렇게
말하는 거겠지. 그렇지만 사람 나름이라고 생각해. 그리고 예
술가란 직업도 쉬지 않고 일하며 발전해 나가야 한다는 점에
서 보통 사람들과 다를 바가 없어. 오히려 더 열심히 작업해
야 하지.

태어날 때부터 천부적인 재능을 지녔다는 말에 대해서는?

•• 글쎄, 그건 유전적인 요소를 말하는 게 아닐까?
우리 할머니도 예술가였는데 정말 손을 쉬지 않고 작업하는
분이셨어. 엄마는 철학과 문학을 전공하셨는데 내가 미술 공
부를 시작하자 주위 사람들은 역시 할머니의 유전인자가 내
게 숨겨져 있다고 말하곤 했어. 가끔 엄마도 나와 함께 작업
했는데 엄마에게도 할머니의 재능이 숨겨져 있는 듯했어.
엄마는 할머니에게, 나는 엄마에게 물려받은 요소를 가지고
작업하고 있는 게 아닐까?

요즘 네 그림의 주제는 뭐니?

•• 여러 가지 재료를 길이나 휴지통에서 찾아 새로운 형태로 붙
이고 변형시키고 색을 입히는 일을 하고 있어. 이런 것들(캔
버스에 붙여 놓은 책이나 수첩 조각 또는 사진들)은 한때 누
군가에겐 추억이나, 삶의 소중한 무엇이었을 텐데 이렇게 휴

피투, 자신의 작품 앞에서.

지통에 버려 둘 수 없다고 생각했지. 내가 가져가서, 다른 사
람들과 어울릴 수 있는 고리를 만들어 줘야겠다고 생각했어.
하지만 한편으론 그대로 놔두는 편이 더 좋았을지도 모른다
는 생각이 들기도 해. 왜냐하면 그 물건들은 휴식을 위한 잠
을 자는 중이었는지도 모르잖아. 이렇게 만든 게 잘한 건지
모르겠어. 하지만 뭐 벌써 해 버린 걸.

그림을 통해 뭘 보여 주고 싶었니?
•• 아마 이런 거였을 거야. 이 그림을 봐. 여기 붙여 놓은 종이엔
숫자가 가득 적혀 있어. 숫자로 사람이 기억된다는 건 비극적

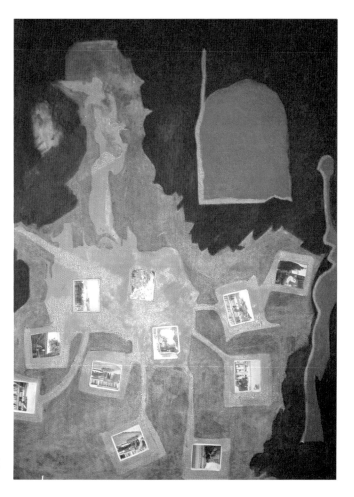

피투가 현실로 끌어낸
사진을 이용한 작품.

인 일이야. 이렇게 가득한 숫자가 무엇인가를 나타낸다는 건
한 번쯤 생각해 볼 만한 문제가 아닐까? 왜 숫자로만 뭘 나타
내야 했을까?

그러면 숫자는 네게 무엇을 의미하니?

** 비극. 그것이야말로 사회가 만들어 놓은 비극 중 하나니까.
저 그림 속 사진은 길에서 주운 필름을 현상한 거야. 누군가
가 잃어버린 과거의 조각을 내가 현실로 끌어낸 거지. 내가
칠한 색과 함께. 중간 부분이 비어 있지? 어느날 외출했다가
돌아와 보니 누군가가 저 그림에 스프레이를 마구 뿌려 놨더

39

파손된 그림.

라. 저 위에 있는 그림에도 그 흔적이 보이지? 방에 돌아왔을 땐 이미 저렇게 되어 있어서 나도 모르게 비명을 질렀지.

그런 정신 나간 사람들이 종종 있니?
** 응, 그런 쪽에 정열을 불태우는 사람들이 있어. 어쩌면 그 사람에겐 내 그림이 영 아니라서 참을 수가 없었는지도 모르지.

상상할 수 없는 일이다.
** 그래, 그런데 문제는 우리가 하루 종일 방에만 있을 수는 없다는 거야. 가끔 차를 마시기도 하고 외출도 해야 하거든. 그저 그런 일이 다시는 일어나지 않았으면 하고 바랄 뿐이야. 앞으로 다시는 일어나지 않을 수도 있지만 매일 일어날 수도 있는 일이니까.

피투는 로베르네 집이 시내 한가운데 있기 때문에 정말 소음을 참을 수 없을 때는 외출을 하지만 대부분의 시간을 작업실에서 보낸다고 한다. 그래도 그는 파리는 아름다운 도시라고 말한다. 로댕 미술관의 정원이나, 밤의 팔레 드 도쿄파리 시립 미술관 옆에 있는 곳으로, 진보적인 현대 미술 전시회가 열린다도 멋지지만 센 강가가 가장 아름답

다고 한다. 해가 나면 해가 나서, 비가 오면 비가 와서.

미술관에는 자주 가니?

•• 나는 외로울 때면 미술관에 가. 그런데 막상 미술관에 들어가
서 그림들만 덩그러니 걸려 있는 걸 보고 있으면 더 쓸쓸한
기분이 들어. 이상하지? 너는 그럴 때가 없니?

이곳에 와 본 다음 퐁피두 센터 앞을 지나가면서 너와 비슷한
생각을 했어. 좋은 그림을 볼 수 있지만 한편으론 묘지처럼 쓸
쓸한 곳이라고. 10분 간격으로 삶과 죽음이 나뉘어 있다고 혼자
중얼거릴 때도 있어. 퐁피두 센터와 이곳은 10분 거리잖아.

•• 재미있는 생각이다. 너 시인 기질이 다분하구나.

뭐, 보통이지. 난 뭐든 요점이 뚜렷하고 간결한 게 좋아. 그런
의미에서 장편 소설보다 시가 내 분야라고 할 수 있지. 그런데
너 사람 보는 눈이 있구나. 내 숨은 재능을 알아보는 비범한 사
람들은 별로 없는데 말이야.

"하하하." 피투는 웃음을 터트린다.

네 그림의 색은 뭐랄까 아주 남미적이야.

•• 맞아, 그림은 살아 온 경험에서 나오는 거니까. 푸른색은 아
마 내가 죽을 때까지 계속 쓰는 색이 될 거야. 어디에나 푸른
색이 있듯이 내 그림 속에는 언제나 푸른색이 있어. 추억과
함께. 지금은 잠시 잊고 있지만.

푸른색은 네게 특별한 의미가 있구나?

•• 성스러운 것은 모두 물에서 왔잖아. 바다는 무슨 색이니? 하
늘은?

어떤 화가를 좋아하니?

•• 미로. 그의 블루가 아주 마음에 들어. 그림에 대한 그의 시각
도 내게 많은 것을 얘기해 주거든.

피투의 그림은 아주 밝은 색으로 그려져 있는데 자세히 들여다보면 슬픔이 느껴진다. 그것도 아주 큰 슬픔이.

파리에서 전시회를 한 적이 있니?

**팔레 드 도쿄에서 한 번 한 적이 있지만 개인전은 아직 못 해봤어. 더 열심히 해야지. 누가 언제 내게 개인전을 하자는 제의를 할지 모르잖아.

내가 아는 화가는 경제적인 문제가 없다면 절대 자신의 그림은 팔고 싶지 않다고 하더라. 모두 자식과 같아서 남에게 주고 싶지 않다고. 너도 그러니?

**모든 화가들이 다 그렇게 생각하고 있을지도 몰라.

하지만 누군가가 네 그림을 매일 바라보고 즐거워한다면 기쁜 일이 아닐까?

**그래, 네 말이 맞아. 나도 그런 일을 경험한 적이 있어. 작년

에는 어떤 사람이 내 그림을 좋아해서 자주 찾아오곤 하더니 결국 그림을 사고 싶다고 했어. 돈 때문에 힘든 시기였지. 처음에는 팔고 싶지 않았어. 그 그림에는 내 추억, 내 인생의 일부가 들어 있거든. 그런데 그 사람이 내 그림을 보고 첫 눈에 반했고, 정말 소중히 여기고 있다는 걸 깨닫고 나서는 그림을 팔기로 했어.

지금도 가끔 서로 연락을 해. 내가 그 집에 가기도 하고. 거기 걸려 있는 내 그림을 보았을 때 기분이 나쁘진 않았어.

하지만 그림마다 내 얘기가 담겨 있어서 아직도 파는 건 쉽지 않아. 저 그림은 아르헨티나에 있는 우리 집을 그린 거야. 여긴 우리 집이 아니니까 저 그림을 보면서 우리 집을 보는, 아니 우리 집에 있는 것 같은 기분을 느끼거든. 그런데 저걸 팔면 어디서 우리 집을 볼 수 있겠니?

난 그림을 그리지는 않지만 내게 그림은 마술 같아. 언제나 나에게 무언가 할 수 있는 힘을 주거든. 여기 처음 온 날, 여러 그림들을 주욱 훑고 지나쳤는데 같은 그림인데도 올 때마다 새롭게 보여. 네 그림을 보면 깨질 것 같은 아주 약한 감정이 느껴져.

•• 아마 내가 붙여 놓은 이미지들이 전쟁이나 적십자에 관한 것들이라서 그럴 거야. 그리고 비극적인 숫자들 때문일지도 모르고.

언제쯤 아르헨티나에 돌아갈 예정이니?

•• 모르겠어. 가족들이 거기 있지만 지금 돌아가면 다시는 아르헨티나를 나올 수 없을 것 같아서 참고 있어. 당분간은 그리워만 해야 할 것 같아.

피투는 언제나 웃고 있다. 장난꾸러기 같은 얼굴을 하고. 피투와 얘기를 마치고 내 수첩에 이렇게 적는다.

너무 슬퍼해 본 적이 있는 사람은 슬픔을 안다. 슬픔을 아는 사람은 그 슬픔을 감출 줄 안다. 하지만 슬픔을 모르는 사람은

작업중인 피투.

사라지고 있는 해변 바.

그걸 감추는 법도 모른다.

　　아까 피투의 방을 가르쳐 준 바 주인은 아직도 여름 해변을 청소하는 중이다. 그가 인사를 한다. 우울한 기분이던 나는 그에게 해변을 치운 다음엔 뭘 설치할 거냐고, 겨울을 상징하는 눈사람을 세워 놓을 거냐고 큰 소리로 물으며 웃는다. 그도 웃으며 여기는 그냥 작업실로 쓸 것이고 해변 바가 있던 자리에 놓을 새로운 작품을 구상하는 중이라고 대답한다. 그리고 자기는 브루노라고 말한다.

　　브루노와 내가 어쩌구 저쩌구 통성명을 하고 있는데 누군가가 농담을 던지며 지나간다. "브루노, 깨끗이 치우니까 좋구나. 네 작품이 있던 때보다 훨씬 보기 좋은데." 브루노가 그의 이름은 제롬이라고 가르쳐 준다.

　　이때 브루노의 옆 방에서 테크노 음악을 들으며 작업을 하던 사람이 다가온다. 브루노는 내게 그를 소개시켜 주며 아주 불친절하고 성질이 사나운 테크노광이라고 말한다. 그는 파스칼이다. 지난번 내가 그의 작업실에 들어가서 그림을 보고 있을 때 잔뜩 인상을 구기며 심각하게 그림을 그리고 있던 주인공이다. 그런데 오늘 그는 기분이 좋은지 활짝 웃고 있다. 내가 별로 무서워 보이지 않는다니까 파스칼은 브루노 작업실에 있는 나무 막대를 들고 물건을 부수는 시늉을 하며 "이래도? 이래도?" 하고 장난을 친다.

브루노의 여름 해변이 모습을 감추기 전에 사진을 찍어 두고 싶다고 내가 말하자 제발 자신의 뒷모습만은 찍히지 않게 해 달라고 한다. 뒤쪽은 머리칼이 좀 뜸한 편이라 별로라면서. 나는 그의 의견을 최대로 존중해서 그의 앞모습만 카메라에 담았다. 잠시도 멈추지 않고 움직이는 브루노를 찍다 보니 어떤 사진에는 그의 손만 잡힌다. 사진에 손만 찍혔다고 하자 브루노는 손이 없으면 뭘로 작업하겠냐며 제일 중요한 부분을 찍은 거라고 한다. 그리고 그는 머리칼이 뜸한 뒷모습을 보이며 다시 해변바를 정리하기 시작한다.

피투의 미소, 그 아래 몰래 감춰진 촉촉한 눈물.
피투의 그림, 힘껏 밝게 칠해 놓은 그림자.

# *브루노,
## 폭풍우를
## 가랑비처럼 맞을 수 있는 사람

프랑스에서 태어나다.
뒷모습 찍히는 것을 몹시 싫어한다.
후두부에는 머리카락들이 드문드문 살고 있기 때문이다.
또 전화는 걸리지만 벨소리가 나지 않는 고물 핸드폰을 자랑스러워하다 못해
심지어 애지중지한다.
시도 때도 없이 벨소리를 울려 주인의 사생활을 방해하는
뻔뻔스러운 전화기들이 판치는 세상에 그렇게 사려 깊은 전화기가
어디 있냐고 하면서 말이다.

✳ 브루노는 아틀리에를 깨끗하게 치워 놓았다. 여름 해변은 이제 완전히 사라졌다. "그럼 우리 본격적으로 얘기를 시작할까?" 하고 내가 말하자, 그는 의자를 가져오겠다면서 사라지더니 잠시 후 어디선가 의자를 구해서 들고 온다. 우리는 원탁에 마주 앉는다.

어, 이건 며칠 전만 해도 작품으로 전시되어 있었잖아. 언제 이렇게 탁자로 변신했니?

✴✴ 다음 작품에 필요하거든. 난 직접 필요한 물건을 후딱후딱 만들어 내는 걸 좋아해. 복잡한 걸 간단하게 만드는 것도 좋아하지. 뭘 간단하게 만든다는 건 때론 간단하지 않은 일이지만.

그런데 설치 미술을 택한 특별한 이유가 있니?

✴✴ 간단하니까. 간단하다는 의미는 내 생각대로 뚝딱뚝딱 금방 만들 수 있다는 뜻이야.

그림이나 조각은 하지 않니?

✴✴ 물론 하지. 저 그림은 내가 그린 거야. 조각은 좀더 젊었을 때 했어.

젊었을 때? 지금 몇 살인데?

✴✴ 서른 하고도 일곱 살(그는 약간 수줍어한다).

그럼 아직 젊잖아. 그렇게 생각하지 않니?

✴✴ 그래, 아직 젊구나. 하지만 가슴 속에서 내 청춘은 영원할지

브루노의 아틀리에.

몰라도 몸은 언제나 청춘일 수는 없지.

그럼 슬슬 본격적으로 심오한 질문들을 시작해 볼까? 언제부터
예술가로서의 인생을 살기 시작한 거니?

●● 아주 오래 전, 내가 세 살 때. 나는 할아버지 할머니와 함께
살았는데, 두 분은 예술가들을 위한 집을 관리하고 계셨어.
'노정'이라고 불리는 곳이었는데 여러 개의 커다란 아틀리에
와, 예술가들이 사는 집이 함께 어우러진 공간이었지. 할아버
지는 언제나 나를 데리고 다니셨어. '얘가 내 손자 놈이야.'
라고 나를 그들에게 소개하시면서.

나는 아틀리에에 가기만 하면 물감 튜브를 닥치는 대로 손에
쥐고 내키는 대로 그림을 그려 댔지. 사람들은 내가 나타나면
물감을 비롯한 모든 도구들을 감추느라 정신이 없었어. 그때
가 시작이었다고 생각해.

아주 악동이었구나.

⁕⁕바로 그게 나였어. 지독한 녀석이었지.

그래서 지금 예술가가 되어서 기쁘니?

⁕⁕아주 아주 만족해. 모든 예술가들은 그렇게 느낄 거야. 하지만 어려운 선택이기도 하지.

니 인생은 어땠니?

⁕⁕내 인생? 난 학교 공부에는 별반 재능도, 관심도 없었어. 아주 엉망진창은 아니었지만 그렇게 잘하는 편도 아니었거든. 하지만 하늘을 나는 일에 대해선 아주 관심이 많았어. 손으로 뭔가를 만드는 법을 터득한 다음부터는 언제나 비행기를 만들었어.

열네 살 땐가는 길이가 8미터나 되는 아주 큰 비행기를 만들었어. 여름 방학 때 피레네 산맥에서 하늘에 띄워 보려고 만든 거였지. 할아버지 댁이 그곳이었거든. 난 여름 내내 그 비행기만 만들었는데 결국 비행기를 띄우는 데는 실패했어. 비행기는 완전히 부서지고 말았지만 하늘을 날아 보겠다는 꿈은 버리지 않았어.

진로를 결정할 때가 되어 비행기 조종법을 배우는 학교에 가고 싶다고 했더니 성적이 안 된다는 거야. 그러면 비행기 만드는 일을 하고 싶다고 했지. 그랬더니 그건 더욱 불가능하다

깡통을 이용한 브루노의 콜라주.

는 거야. 그래서 산업 디자이너가 되기로 했어. 뭐, 나쁘지 않았어. 그렇지만 그저 그랬지.

또 나는 스포츠에도 관심이 있었어. 한 5년 동안 사이클을 열심히 탔지. 프로 선수가 되기 위해 먹고 자는 시간까지 아끼면서 말이야. 정말 열심히 했어. 그런데 허리에 문제가 생겨서 계속할 수가 없었어. 그래서 전부터 그려 온 그림에 몰두하기로 했지. 그때가 스무 살 무렵이었어. 그리고 아직까지 그 길을 가고 있는 거야.

이곳을 점거하기 전과 지금 달라진 게 있니? 네가 바로 KGB라고 불리는 세 사람 중 한 명이라고 들었는데.

●●맞아. 내가 그 브루노야. 지금의 브루노가 되기까지 꽤 많은 일들이 있었어. 실업자로 힘들게 보낸 시기도 꽤 길었고, 게다가 그림 그리는 것도 중단한 적이 있었어. 그림은 그려 뭐 하냐는 생각이 들었거든. 모든 것에 염증을 느끼던 때였으니까. 그래서 어딘가로 떠나기로 결심하고는 마다가스카라 근처, 섬들이 모여 있는 곳으로 무작정 떠났지.

그 여행으로 나는 새로운 삶에 눈뜨게 되었어. 사람들, 인생, 공동체에 대해, 또 종교에 대해서 많은 것을 배웠어. 얼마 후 힘을 얻어 파리로 돌아와서 다시 그림을 그렸어. 그렇지만 경

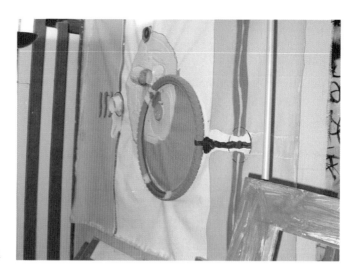

브루노의 작품.

제적으로 아주 어려웠어. 내가 가진 거라곤 고작 비를 피해
잘 수 있는 좁은 공간과 최소한의 식사를 할 수 있는 돈이 전
부였으니까.

그러다가 어느날 한 친구를 만났는데 그가 원하는 작업 공간
을 무상으로 쓸 수 있는 아이디어를 주었어. 그래서 전부터
알고 있던 친구들과 함께 로베르네 집으로 들어온 거야.

점거하는 일이 어렵지는 않았니?

**아니. 절실한 필요에 의한 행동이었으니까. 누군가가 절박한
현실에 놓여서 무엇인가를 필요로 한다면, 필요한 것을 구하
는 것은 일종의 의무이자 꼭 해야 할 일이 되지. 그래서 어렵
지 않았어.

어떤 장소를 점거하는 행위에 대해서는 어떻게 생각하니?

**내게는 공간 점거라기보다 필요한 것을 구하기 위한 행동일
뿐이야. 사람들은 내게 점거란 단어를 사용하지만 나는 그
렇게 생각하지 않아. 나는 예술가일 뿐이야. 그래서 사람들이
"당신이 그 점거자요?" 하면 나는 "점거자요? 나는 예술가일
뿐인데요."라고 대답하지.

요즘은 어떠니?

•• 요즘? 좋아. 그렇게 느껴져. 하지만 변화가 필요하다는 생각
이 들면 이곳을 떠나 다른 곳으로 갈 거야. 새로운 것을 만들
기 위해서지. 여기에서 작업했던 모든 것을 부수고 원점에서
출발할 거야. 어딘가에 정착하고자 하는 삶은 예술가의 삶이
아닌 것 같아. 내겐 새로움, 발전, 다른 세상을 향한 열림 같
은 게 절대적으로 필요해.
예술가와 같이 다면성을 가진 사람들에게 새로운 것을 발견
하는 것은 아주 중요해. 아무것도 없는 상태에서 뭔가를 찾아
출발하면 순수한 어떤 것을 얻을 수 있으니까.

네 작품의 주제는 뭐니?

•• 특별한 주제는 없어. 굳이 말한다면 아름다운 어떤 것, 조용
한 어떤 것이지. 하지만 어떤 것에 반대하는 주제 같은 건 절
대 아니야. 전쟁에 반대하는, 기아에 반대하는 그런 주제에는
미래가 없어. 우주는 그런 문제들 위에 있으니까.
난 우주적인 것과 같이, 사람들이 저질러 놓은 바보 같은 일
들의 훨씬 위에 존재하고 있는 뭔가를 보여 주고 싶어. 그리
고 나는 적게 말하고 행동으로 보여 주는 사람이 되고 싶어.
내 작품도 마찬가지고.

미술과 관련한 공부를 한 셈인데 예술학교에 대해서는 어떻게
생각하니?

•• 예술학교란 존재하지 않는다고 생각해. 나는 스스로 작품을
만드는 법을 터득했고 혼자 공부해 왔어. 친구들에게서도 많
이 배웠고. 언젠가 파리의 에콜 보자르 에콜 보자르는 프랑스의 국립 고등
미술 대학의 명칭으로, 줄여서 보자르라고도 부른다. 프랑스의 큰 도시에는 대부분 보자르가 있
는데 그중 파리에 있는 보자르가 가장 유명하다. 여기서는 회화, 조각, 사진, 비디오 등의 순수
미술 분야를 5년에 걸쳐 가르치는데 여기에 다니기 위해서는 콩쿠르라고 불리는 엄격한 입학 시
험을 통과해야 한다 에 가 보았지만 아무것도 발견할 수 없었어.
여기가 바로 예술학교가 아닐까? 열린 공간에서 여러 사람이
자신만의 방법으로 작업하고 있고, 그걸 보면서 새로운 작품

브루노의 추상화.

을 구상하는 곳. 그게 바로 살아 있는 예술학교지. 나도 그런 방법으로 배웠고, 또 여러 가지 직업을 가지고 일을 해 나가는 동안에도 그림 그리는 기술을 익혔어. 어떤 직업은 전문 기술을 가르쳐 주기도 하잖아. 그 하나하나를 서로 연결해서 예술적으로 발전시키면 예술이 되는 거지.

네 얘기를 들으면 넌 벌써 아주 큰 예술가라는 생각이 들어.

내가? 나는 절대로 그렇게 될 수 없어. 큰 예술가는 적어도 180센티미터는 돼야 해. 난 작은 예술가지. 키가 160센티미터밖에 안 되거든.

이곳은 어떻게 운영되고 있니?

＊＊ 매우 자유롭지만 어느 정도의 엄격함이 지켜지는 곳이지. 엄격하다는 건 서로를 존중해야 한다는 걸 의미해. 자유로운 면만 누리고 싶다면 이곳을 떠나야겠지.

이곳에는 세 사람의 책임자가 있다고 들었어.
＊＊ 응, 처음 이곳을 연 사람들이지. 나, 가스파르 그리고 칼렉스.

세 사람의 역할은 뭔데?
＊＊ 특별한 건 없어. 여기 사는 사람들이 모두 실질적인 책임자니까. 문제가 생기면 모두 모여서 해결하려고 노력해. 월요일에서 토요일까지 이곳을 개방하기로 한 일도 모두가 모여서 결정했어. 그런데 누군가가 방문을 닫아 버린다면 ㄱ 사람은 더 이상 이곳에 머무를 수 없어. 여긴 사적인 장소가 아니니까.

여기에 들어와서 머물며 작업하고 싶다면 어떠한 절차를 거쳐야 하니?
＊＊ 절차? 절차가 아니라 공간의 문제야. 머물 수 있는 공간은 정해져 있는데 원하는 사람이 더 많다면 문제가 되니까. 우린 벌써 정원을 초과한 상태야. 누군가가 여기서 작업하기를 원한다면 우선 빈 공간이 있어야 하고 공간이 주어졌다면 반드시 작업을 해야 해. 단순히 건물을 지키려고 우리가 여기 있는 건 아니니까. 작업을 하지 않을 생각이라면 다른 곳에 공간을 얻어야겠지.
우리가 이 공간을 무료로 사용한다는 건 어떤 대가를 치루고 사용하는 것보다 의무감이 더 막중해지는 걸 의미해. 그러니까 작업이 가장 중요하지. 예술가 비슷한 흉내를 내고 싶다면 이곳은 적당한 장소가 아니야.

여기에는 현재 모두 몇 명의 사람들이 살고 있니?
＊＊ 처음에는 5, 6명이었어. 그러다가 금방 15명으로 금방 불어났지. 현재까지는 서로 불평을 늘어놓지 않고 잘 지내고 있어. 그렇지 않으면 정말 지옥이겠지.

브루노의 설치 작품인 "바닷가의 방."

여기를 방문하는 사람들에게 부탁하고 싶은 점은 없니?

●● 없어. 사람들이 여기에 와서 즐겁고 행복하다고 느끼면 그게
전부라고 생각해.

가끔 그림에 스프레이를 뿌리는 등 작품을 훼손하는 사람들이
있다던데?

●● 슬픈 일이야. 하지만 사람 사는 곳에서 일어날 수 있는 일이
지. 그런 일이 일어나는 횟수가 줄어들기를 바랄 뿐이야. 가
끔 작품을 '슬쩍하는' 사람들도 있어. 그런데 나는 그런 사람
들이 작품을 훼손해 놓는 사람들보다 낫다고 생각해. 슬쩍하
는 사람들은 적어도 작품을 갖고 싶다는 마음에서 그런 행동
을 하지만 작품을 훼손하는 건 증오에서 나오는 행동이거든.
아름다운 것을 받아들이지 못하는 인간들이 하는 짓이지.

언제까지 여기서 작업할 예정이니?

●● 지겨워지면 망설이지 않고 떠날 거야. 벌써 공간이 좁다는 생
각이 들어. 좁은 공간에서는 원하는 걸 모두 표현할 수 없거
든. 한 30평 정도 되는 공간에서 작업을 해 보면 좋을 텐데.
하지만 기분이 좋아지는 곳이어야 해. 공간이 넓다고 해서 좋
은 작업을 할 수 있는 것은 아니거든. 이전에 점거한 곳은 아
주 넓고 조용한 곳이었지만 결국 아무 작업도 하지 못했어.
이곳은 열기가 느껴져서 좋아.

앞으로 어떤 일을 할 계획이니?

●● 가장 중요한 것은 계속하는 거야. 끝까지 쉬지 않고 계속하는
것. 은퇴란 건 없어.

설치 미술은 일반적인 그림보다 팔기가 어려울 것 같아.

●● 그래도 작품을 사는 사람들이 더러 있어. 주로 광적인 사람들
이 사. 원한다면 아파트 안에도 설치할 수 있고 어느곳에라도
삶과 어울리도록 설치해서 즐길 수 있으니까.

다음 작품은 어떤 거니?

◦◦ 지금까지의 내 작품을 모두 모아 놓는 거야. 여러 가지 심볼
과 물건을 설치해서 이전의 작품들을 연상할 수 있도록 하는
거지. 사람들을 놀라게 만들면서, 어떤 것을 추억할 수 있게
만들려고 해.

네가 좋아하는 예술가는 누구니?

◦◦ 베이컨, 쿠카, 수틴, 고흐. 특히 베이컨 그림의 명확하고 강렬
한 느낌을 좋아해. 직접적으로 영향을 받지는 않았지만.

설치 작업 외에 흥미를 가지고 있는 일이 있다면?

◦◦ 하늘을 나는 것. 기회가 닿으면 낙하산을 타고 공중에서 하강
해 보려고 해. 스포츠에 몰두해 있으면 새로운 탈출구를 찾는
느낌이 들어서 좋아. 그리고 다음엔 대만에 가서 그곳 친구들
과 함께 작업하면서 새로운 문화를 체험해 볼 예정이고, 섬에
도 가고 싶어.

섬을 좋아하는 걸 보니 혼자 있는 걸 좋아하는구나? 혼자 있고
싶을 땐 어떻게 하니?

◦◦ 자전거를 타고 나가. 자전거 위에 앉은 나는 이미 혼자니까.

네게 가장 중요한 건 뭐니?

◦◦ 모르겠어, 모든 게 중요하니까.

모든 것이란 뭘 의미하는데?

◦◦ 글쎄, 살아 가는 데 필요한 모든 것. 삶은 중요하니까.

　　브루노는 나와 얘기를 마치더니 면도를 해야겠다고 한다. 그
러니까 주위에 있던 사람들이 이구동성으로 수염이 있는 편이
훨씬 멋있다며 그를 말린다. 그때 할아버지 한 분이 들어와서
브루노와 정답게 인사를 하신다. 할아버지가 브루노의 이름을
묻자 브루노는 아무렇지도 않게 "필립이요."라고 말한다. 할아

브루노와, 하늘을 닮은 할아버지.

버지는 "아니야, 그게 아니었어. 얼른 진짜 이름을 대."라고 다
그치신다. 그제서야 브루노가 자신의 이름을 말하고 둘은 서로
의 일과에 대해 재미있게 이야기한다. 할아버지가 나가신 후 브
루노는, 자신이 좋아하는 파란색은 하늘을 떠오르게 하는데 하
늘을 보면 저 할아버지 같다며 천진스럽게 웃는다.

　　브루노는 말한다. "내가 이곳에서 기쁨을 느끼는 일 중에 하
나는 젊은 사람들, 특히 청소년들이 즐겨 방문한다는 점이야. 물
론 방문객 층은 젖먹이에서 할머니 할아버지까지 다양하지만.
정말 신나는 일 아니니? 다양한 세대가 함께 이곳을 찾는다는
거 말이야. 이곳 역시 모든 연령층에게 공간을 제공하고 있어.
현재 10대에서 50대까지 다양한 연령의 사람들이 작업하고 있
지. 누구든 전시 공간이 필요하면 전시회를 열 수 있고.
　　미술관은 일단 들어가기 비싼 곳이고 그림을 팔기가 아주
어려운 곳이지. 또 별로 효과는 없지만 종종 교육적인 장소로

활용되기도 하고. 하지만 여길 봐. 이곳은 기존 미술관이 우리에게 줄 수 없는 것을 주고 있어. 무엇보다도 여기에서 작업하고 있는 모든 사람들이 다행히도 아직 유명 화가로 '낙인찍히지 않은,' 무한하고 신선한 잠재력을 가지고 있는 예술가라는 사실이 우리의 자랑거리이자 강점이지. 예술가란 어느 누구보다 자신에 대해 정직한 잣대를 가지고 있는 사람들이야. 유명해지고 그렇지 않고는 별로 의미가 없어."

브루노,
폭풍우를 가랑비처럼 맞을 수 있는 사람.

# *아니타,
## 아틀리에의 말없는 전사

프랑스에서 태어나다.
언제나 세계 평화를 추구하는 방법을 골똘히 생각하고 몸소 실천한다.
그녀에게 불가능한 일은 없다.
진심으로 원하고 행동하면 무엇이든 바꿀 수 있다.
할 수 없다는 말은 겁쟁이 방관자들을 위한 것이다.
무관심과 냉소가 증오보다 더 무섭다.
그녀의 행동 철학이 만들어 낸 걸작품 중 하나가 바로 로베르네 집.

✳ 아니타는 키도 작고 몸도 작다. 언제나 조용하고, 웃는 모습도 수줍음 타는 아이 같다. 하지만 그녀가 바닥에 무릎을 꿇고 앉아 일단 콜라주 작업을 시작하면 비장함마저 감돈다.

인터뷰 약속을 하고 왔지만 아니타는 완전히 잊어버렸는지 로베르네 집에서 모습을 찾을 수 없다. 아무도 없는 아니타의 아틀리에에서 작품을 자세히 들여다본다. 에이즈를 주제로 콘돔을 이용해서 만든 작품도 있고, "전쟁이라는 마약을 이제는 끊어야 한다."는 말이 적혀 있는 작품도 있다. 대부분 정치적·사회적인 문제를 다루고 있다.

아니타가 들어온다. 나를 보더니 "참, 약속을 완전히 잊고 있었네, 미안해." 하고 말한다.

작품을 보고 있었어. 넌 사회나 정치 문제에 관심이 많은가 봐.

✳✳ 조금, 바보가 아니라면 어느 정도 관심을 가져야지. 우리의 미래와, 아이들이 살아 갈 세상인데 당연하지. 만약 우리가 전혀 관심을 갖지 않는다면 세상은 점점 엉망진창이 될 거야. 슈퍼마켓에서 장을 볼 때면 음식물에 함유된 성분 표시를 자세히 들여다봐. 그러면 세상에 이런 이상한 성분이 사람이 먹는 음식에 들어 있다니, 하고 나도 모르게 중얼거리게 돼. 색상을 내기 위한 화학성분은 기본이고 별 괴상한 것들이 깜짝 놀랄 정도로 가득 들어 있거든. 약간의 방부제 정도야 이해할 수 있지만 그 밖의 인체에 해로운 성분들은 너무 지나쳐. 그런 수상한 음식물을 계속 먹다 보면 암에 걸릴 수밖에 없을 것 같아. 아이들에겐 더 위험하겠지.

Seul l'art est capable de faire le deuil de la guerre"

세계 평화를 주제로 한 작품.

그런데 우리는 소비를 거부하거나, 다른 적극적인 대안을 내지 않고 있어. 깡통 음식을 볼 때마다 나는 화가 치밀어. 정말 혐오스럽다는 생각이 들어.

사람들은 자신의 생명과 직결된 문제에 너무 관심이 없어. 정치하는 사람들에게 모든 것을 맡기고 아무 관심도 갖지 않는 게 문제야. 우리는 관심을 가져야 해. 우리 모두를 위해서.

그렇다면 사람들이 어떻게 반응해야 한다고 생각해?

그건 조금만 생각해 보면 알 수 있는 간단한 문제야. 오히려 무관심이 가장 큰 문제지. 나는 이메일로 내 생각을 사람들에게 알리고 있어. 요새는 반전 메시지를 보내고 있지. 대부분의 사람들은 전쟁을 원하지 않아. 그런데 소수의 탐욕스러운 정신 이상자들이 전쟁을 일으켜서 많은 무고한 사람들을 희

64

생시키고 있어. 일상의 삶을 꾸려 가는 것만으로도 힘든데 전
쟁을 일으켜서 서로를 괴롭히고 죽이는 일은 하지 말아야지.
그런 일은 절대 일어나서는 안 돼.

나는 전쟁도 일종의 마약이라고 생각해. 그렇지 않으면 전쟁
을 일으키는 행동을 반복하는 얼간이 같은 인간이 어디 있겠
니? 그렇게 많은 사람들이 죽어 가는데. 무조건 전쟁은 중단
되어야 해.

그런 강력한 이슈를 표현하는 방법으로 특별히 콜라주를 선택한
이유가 있니?

•• 그냥 우연히, 심심풀이로 시작했지. 사실 콜라주란 분야가 있
다는 것도 몰랐어.

벽면 가득한 아니타의 작품들.

그럼 콜라주를 시작하기 전에는 뭘 했는데?

　화가들처럼 그림을 그려 본 적은 한 번도 없어. 나는 공장에
　서 일하는 근로자였고, 아이들이 학교에 가면 그때부터 일을
　해야 했어. 이 일은 나를 위해, 재미로 시작한 거야.

컴퓨터 그래픽 같은 것도 사용하니? 작품을 보니까 그런 부분이
있어서.

　전혀. 그건 사진을 찍어서 간단한 필터를 준 다음 프린트를
　한 것이어서 그렇게 보이는 걸 거야. 그런 걸 컴퓨터 그래픽

66

이라고 하는 거니?

어떤 면에서 콜라주가 그림보다 작업하기 힘들 것 같아. 그림은 생각한 대로 그리면 되지만 콜라주는 원하는 이미지를 다른 곳에서 찾아내야 하니까.

" 그럴 때도 있지. 이 작품은 오래 전에 시작했지만 아직도 완성하지 못했어. 이 작품에 부족한 게 무엇인지 알고 있지만 아직 알맞은 이미지를 찾지 못했거든. 그 이미지를 찾아내는 때가 작품이 완성되는 날이 되겠지.

이런 작업을 시작한 지 얼마나 됐니?

" 아주 오래 전부터. 작업을 시작했을 때 내가 스무 살이었고 지금 마흔이니까. 아들이 한 살이 되자 시간이 조금 났어. 그래서 좀더 본격적으로 시작했지.
처음에는 사람들을 웃기기 위한 정치 풍자 작품을 만들었어. 광고 문안을 이용해서 정치를 광고에 빗댄 작품을 만들었지. 그런 게 예술 분야에 있는지는 모르겠어. 그러다가 조금씩 큰 작품에 손을 대기 시작했지. 작은 건 금방 끝낼 수 있어서 만드는 재미가 덜하거든. 그저 내 생각을 반짝 나타낼 수 있을 뿐이지.

저 작품은 시간이 많이 걸렸을 것 같아.

" 별로. 밑그림을 그리고 작품을 완성하기 위해 밤낮으로 매달렸거든. 꼬박 닷새쯤 걸렸을까? 사실 총 작업 기간은 열흘 정도였지만 티베트에 관한 작품도 동시에 만들었으니까 그 작품에만 투자한 기간은 닷새가 되는 거지.

몇몇 작품의 분위기나 작업실의 분위기에서 전체적으로 동양적인 느낌이 들어.

" 동양에 대해 잘은 모르지만 나는 태국을 좋아해. 지금까지 아마 15번은 갔을 거야. 내 아들이 젖먹이일 때부터 가기 시작했는데 지금 아이가 꽤 컸거든.

태국에서 어떤 걸 발견했는데?

** 태국은 한 마디로 아름다운 나라야. 태국인들은 친절하고 조
용한 사람들이고. 태국에는 사원이 아주 많은데 볼수록 아름
답다는 생각이 들어. 그래서 불교에도 관심을 갖게 되었지.
사원을 100여 군데는 찾아다녔을걸?

그러다가 불교 신자가 되겠네.

** 그럴지도 모르지. 아니, 이미 불교 신자일지도 모르고. 왜냐하
면 내 생각과 불교는 일치하는 점이 많아. 일단 나는 채식주
의자야. 자연과 어울려 사는 동물을 보호해야 한다고 생각해
서 채식주의자가 됐지. 불교에 그런 정신이 있다는 건 몰랐
어. 그런데 어느날 불교에 관한 기사를 읽다가 내 생각과 똑
같다는 걸 알았지. 그런 면으로 본다면 나는 이미 불교 신자
라고 할 수 있어.
태국은 평화로운 곳이야. 지금은 관광객이 너무 많아져서 달
라졌지만. 특히 백인 관광객들이 그곳을 많이 망쳐 놓았어.
안타까운 일이지.

작품을 위한 이미지는 어떻게 찾아내니?

** 내가 찍은 사진을 이용할 때도 있어. 저기 재즈에 관한 작품
은 내 사진으로 만든 거야. 잡지도 많이 이용하고 있어.
이미지를 찾기 위해서 수없이 많은 잡지를 봐야 해. 잡지를
뒤적이다 보면 새로운 아이디어가 떠오르는 때도 있어. 이미
지를 발견하면 각각의 파일로 분류해서 정리해 놓지. 그렇지
않으면 매번 처음부터 다시 찾아야 하거든.
사실 이미지야 사방에서 넘쳐 나니까 나는 선택만 하면 돼.
지금은 전쟁에 관한 작품을 만들기 위해서 전쟁중인 군인의
흑백 사진 이미지를 찾고 있는 중이야. 다른 작품에 알맞은
이미지를 발견하면 별도의 파일에 넣어 두지. 필요한 이미지
를 목록으로 만들어서 천천히 이미지를 모으고 자료가 충분
히 모아지면 새 작품에 착수해. 저 작품은 전 세계의 문제를
다루고 있어서 각 지역의 이미지가 필요했어. 일단 이미지를

에이즈 퇴치를 주제로 한 작품.

수집한 다음 작업을 시작하는 거지.

나는 아니타가 가리키는 작품을 바라본다. 세계지도에서 우리나라의 위치에는 시위하는 사람들의 이미지가 있다.

항상 바쁠 것 같아. 이미지를 찾고 동시에 새로 발견한 아이디어를 정리하고.
＊＊그런 편이야. 가끔 어떤 주제가 확실히 잡히지 않을 때 수집해 놓은 이미지들이 아이디어를 줄 때도 있어.

전시회는 여러 번 해 봤니?
＊＊카페나 레스토랑에서 몇 번 했어. 화랑에서는 아직 못 해 봤지만. 거긴 그림을 그리지 않는 사람이 전시회를 하기 어려운 곳이잖아. 사람들이 콜라주를 작품이라고 인정하지 않으니 기회가 없지.

그럴 리가. 많은 작가들이 콜라주를 하는데?
＊＊저 작품은 12년 전에 만든 거야. 하지만 아무도 작품으로서 관심을 갖지 않아. 사람들은 잡지를 잘라서 만드는 건 예술이 아니라고 생각해. 손으로 그려야만 예술이라고 생각하지.

동양 사상을 주제로 한 작품.

앞으로 어떤 작업을 할 생각이니?
** 콜라주와 모자이크 작업(아니타는 우리가 마주 앉아 있는 작
은 탁자를 가리킨다. 그것은 타일 조각과 거울 조각을 붙여
만든 것이다)을 할 거야.

이것도 네가 만든 거야?
** 응, 저쪽에 있는 상자도. 이런 방법으로 몇 가지 가구를 더 만
들어 보고 싶은데 지금은 돈이 부족해. 그냥 구할 수 있는 재
료는 모아 두고 사야 할 재료는 돈이 생기면 사려고 해. 아무
것도 없이 만들 수는 없으니까.

작품을 사고 싶어하는 사람들은 많은 편이니?

●● 가끔, 자주는 아니지만 가격을 묻는 사람들이 있어. 오늘 아침엔 저 모자이크 상자를 사고 싶다는 전화가 왔어. 사겠다는 사람이 있으면, 난 좋지. 다음 작품의 재료를 살 수 있으니까. 하지만 대부분 가격만 묻고 사지는 않아. 프랑스 사람들은 백화점 쇼핑은 해도 예술품은 사지 않거든. 게다가 예술은 일부 엘리트 계층을 위한 것이라고 생각하지.

프랑스는 그래도 예술에 대한 기회가 비교적 열려 있는 곳이라고 생각하는데.

●● 아니야. 그렇게 보이지만 그 속을 잘 들여다보면 아주 적은 수의 사람들이 그림을 사. 그림을 샀다는 얘기를 들어 본 적이 있니? 모두 포스터나 사서 벽에 붙여 두지. 작품을 사는 사람은 드물어.
프랑스 예술계는 폐쇄적이야. 예술 분야 종사자조차도 쉽게 다가갈 수 없는 분야야. 예술가가 되고자 결심했다고 해서 그 중심으로 쉽게 들어갈 수는 없어.

이곳은 어떻게 발견했니?

●● 우연히. 어느날 필요한 재료를 사려고 근처 백화점에 왔는데 이 건물 문이 열려 있었어. 그래서 로베르네 집 사람들에게 전시회를 하고 싶다고 말했고, 이곳에서 가장 처음으로 전시회를 연 사람이 되었지. 전시회가 끝난 다음에도 이곳에 자주 왔어.
그런데 작년 12월에, 4층에 작업실을 가지고 있던 피투가 여행을 떠난다며 내게 자기 작업실을 쓰라고 했어. 그래서 거기를 사용했지. 피투가 돌아온 다음엔 사라와 함께 작업실을 썼는데 그곳은 너무 작았어. 그러다가 이 방이 너무 낡고 지저분해서 아무도 원하지 않는다는 것을 알고는 깨끗이 치워서 내 작업실로 만든 거야.

로베르네 집의 첫인상은 어땠어?

재즈 연작 시리즈.

제일 처음에 느낀 건 지저분하다는 거였어. 도저히 작업을 할 수 없을 정도였지. 그래서 나는 화장실이며 부엌을 깨끗이 청소하는 일을 도맡아 했어. 흰색 페인트로 지저분한 곳을 하나씩 칠하면서 정리해 나갔지. 처음엔 용기가 대단하다며 빈정대는 사람도 있었어. 나는 그들에게 불법 점거를 해서 우리의 아틀리에를 갖는 건 찬성이지만 더러운 것은 찬성할 수 없다고 했어. 불법 점거한 곳은 지저분하게 써도 된다고 생각하는 건 틀린 거잖아.

그래서인지 너의 작업실이 가장 깨끗해.

아니야, 내가 청소를 시작하자 따라서 깨끗하게 치운 사람도 많아. 내가 벽을 흰 페인트로 칠하고 바닥을 박박 닦기 시작하자 도대체 뭘 하는 거냐는 시선으로 쳐다보거나, 너 여기에 병원을 차릴 거냐고 묻는 사람도 있었지. 그렇지만 며칠이 지나자 다른 사람들도 청소를 하기 시작했어. 칼렉스가 자기 작업실을 완전히 흰색으로 칠하자 나머지 사람들도 따라 하기 시작했지. 그래서 이곳 전체가 깨끗하게 변한 거야.

한 개인의 대수롭지 않은 행동이 다른 사람들에게 큰 영향을 미치기도 하잖아. 만약 누군가가 쓰레기를 땅바닥에 그냥 던져 버리면 모두 그런 행동을 따라 하게 돼. 사람들은 보통 뭔가를 확 바꾸는 일에는 별로 용감하지 않거든. 그냥 누군가를 따라 하지. 여기도 마찬가지야. 물론 지금도 작업실을 치우지 않고 작업하는 사람들도 있어. 하지만 아주 많이 변했어.

부엌은 특히 신경을 많이 썼지. 난 더러운 화장실과 부엌은 못 참아. 부엌이 더럽다고 느끼면서도 그냥 쓰는 사람들이 많

아니타의 아틀리에.

있는데 나는 접시를 꺼내 보란 듯이 깨끗이 닦은 다음 음식
준비를 했지. 그러면 사람들도 "네가 옳아." 하며 나를 따라
했어. 좋은 현상이지. 아니면 많은 사람들이 여전히 더러운
환경에서 살고 있었을 테니까.

이곳이 폐쇄되면 어떻게 할 생각이야?

**··** 글쎄, 당장은 그런 일이 생길 것 같지 않아. 혹시 방문객 중 누군가가 여기서 큰 사고를 당하면 모를까. 그런 일은 생기지 말아야지.

파리 시장이 이 건물을 샀다고 들었어. 시장이 개인적으로 구입한 건 아니지?

**··** 물론 파리 시장의 자격으로 구입한 거야. 그러니까 모든 파리 시민들의 건물이지. 그런데 그거 아니? 파리에는 빈 건물들이 정말 많아. 그저 몇 개월 비어 있는 게 아니고 10년 이상씩 말이야. 충격적인 일이 아니니? 전에는 그런 일을 알지도 못했어. 그런데 그 사실을 알고 정말 놀랐어. 파리는 정말 집세가 비싸. 많은 사람들이 집세를 내지 못해 쩔쩔매며 살고 있어. 어떤 사람들은 거의 집세를 내기 위해 인생을 살고 있다고 해도 과언이 아니니까.

여기 바로 옆에 비어 있는 건물 봤니? 그 건물은 어떤 백화점 주인 것인데 1년 넘게 비어 있어. 누군가가 불법 점거를 해서 들어갔는데 곧 쫓겨났지. 그 후로는 관리인을 두고 빈 집을 지키고 있어. 정말 웃기는 일이지. 그곳을 점거했던 사람은 최소한의 집세를 내겠다며 건물주와 타협을 하려고 했어. 그런데 건물주는 그 사람을 길로 내몰았고 지금 그 건물은 저렇게 텅 비어 있어. 그렇게 하기 위해 건물주는 관리인을 고용해서 빈 집을 지키고 있는 거야. 그 건물에서 쫓겨난 사람은 지금 여기서 작업을 하고 있어.

저 거리를 봐. 거지가 많지? 그들은 매일 술을 마셔. 하지만 그들은 술값에 포함되어 있는 엄청난 세금은 생각하지도 못할 거야. 사람들은 거지를, 아무 일도 하지 않는 쓸모 없는 존재라고 욕하지만 나는 그런 사람들에게 그들은 당신들보다 엄청나게 많은 주세를 내고 있으니까 걱정 말라고 말해. 그들이 길거리에서 구걸해서 얼마나 벌겠니? 정당하게 세금을 내지 않으려는 부자들, 또 돈을 들여 가며 빈 건물을 지키기에 급급한 소인배들이 더 문제 아니니?

작품 앞에 선 아니타.

그래서 나는 현실 문제를 많이 다뤄. 가난한 사람을 무조건 나쁘게 말하는 사람이 많은데, 나는 그런 건 참을 수 없어. 그들은 가난한 인생을 살고 있을 뿐이야. 정말 서로를 이해할 수 있는 어떤 방법을 찾아야 해.

알코올 중독은 정부의 책임이 커. 마약에 대해서는 크게 떠들고 있으면서 술에 대해서는 별 말이 없잖아. 그러니까 소비자가 정신을 바짝 차려야 해. 또 주당 근로 시간 같은 것만 해도 보통 문제가 많은 게 아니야. 공장에서는 대체로 근로 시간이 철저히 지켜지지. 기계를 작동하는 시간이 있으니까. 그건 내가 공장에서 일을 해 봐서 알고 있어. 하지만 사무실에서는 하루 종일 앉아 있지만 차 마시고, 전화하고, 잡담하는 시간을 제외하면 진짜 일하는 시간은 얼마나 될까?

사회가 이렇게 많은 문제점을 안고 있는데 우리들은 모두 겁쟁이들이야. 우리 일인데, 생각하고 행동하는 건 어려운 일이 아니잖아.

작품에서 드러내고 싶은 것 외에 예술가로서 인생에서 가장 중요한 건 뭐라고 생각해?

** 부지런히 작업을 계속하는 것. 그리고 인생에서 가장 중요한 건 이기적인 사람이 되지 않도록 현명하게 나이를 먹는 것.

긴 얘기를 나누고 나니 차가운 인상의 아니타가 따스하게 느껴진다. 그녀는 다음 주 목요일이 생일이라며 생일파티에 와주겠냐고 묻는다. 아니타의 작업실에는 사진을 찍지 말라는 표시가 커다랗게 붙어 있지만 그래도 나는 사진을 좀 찍으면 안 되겠냐고 조심스럽게 묻는다. 아니타는 난처한 표정을 지으며 내게 사진을 찍게 하면 자신이 공정치 못한 사람이 된다고 말한다. 내가 작품 하나하나를 찍지 않고 작업실과 그녀 사진만 몇 장 찍겠다고 다시 부탁하자 그녀는 여전히 난처한 얼굴로 마지못해 허락한다.

**심각한 표정으로 그림을 설명하고 있는 아니타.**

아니타는 여러 가지 색을 좋아한다. 초록은 자연의 색이라

서, 파랑은 하늘의 색이라서 좋단다. 옷을 입을 때도 이런저런 색을 다양하게 입는다. 다만 회색은 예쁜 색이지만 늙어 보여서 잘 안 입는다.

오늘 아니타는 모두 파랑 일색으로 입었다. 파란빛의 바다가 그리워서란다. 그래서 내일은 브르타뉴 지방에 있는 일 드 헤라는 섬으로 여행을 떠날 예정이라며 신이 나 있다. 거기서 며칠 지내고 월요일에 돌아와서는 모든 작품을 베를린 장벽과 관련된 것들로 바꾸고 직접 찍은 사진들도 전시한다고 하니 다음 주 아니타의 생일 파티에 꼭 들러야겠다.

깨끗한 아틀리에에서 더욱 돋보이는
아니타의 작품들.

아니타, 아틀리에의 말 없는 전사.

# *가스파르,
## 그의 머릿속을 점거하고 싶다

프랑스에서 태어나다.
가스파르의 머릿속은 언제나 남들이 상상도 할 수 없는
괴상하고도 흥미진진한 생각으로 가득 차 있다.
하지만 대중이 이해할 수 없는 예술가로 평가된 적은 거의 없다.
그가 일단 입을 열면 별 해괴한 아이디어도
매우 논리적이고 명확하게 정리되기 때문이다.

✳ 리볼리가 59번지를 점령한 전설적인 삼총사 KGB 중 한 사람, 로베르네 집의 공식 대변인, 항상 엄청나게 바쁜 인물. 이 정도가 그에 대한 사전 지식이다.

나는 가스파르를 기다리며 창문 너머로 보이는 대형 쇼핑센터를 바라본다. 이곳은 서울의 명동 한복판보다 시끄럽고 복잡한 곳이다. 소음이 굉장해서 목소리가 작은 사람과 얘기하려면 모든 신경을 귀로 한껏 모아야 할 정도다.

몇 시간을 그렇게 귀를 쫑긋 세우고 상대방의 말을 듣다 보면, 어느새 내 자신이 흐물거리는 커다란 귀로 변신해서 탁자에 걸쳐 있는 듯한 느낌이 든다. 내 상상력은 점점 초현실적으로 발전하고 있다. 살바도르 달리의 그림과 같은 장면이 아닌가?

가스파르가 우렁찬 목소리를 가진 사람이기를 기대해 본다. 대변인이니까 그럴 가능성이 크지 않을까? 하지만 웅변 대회 수상자들이 대변인이 되는 건 아니지. 어쨌든 신이시여, 오늘은 제게 목소리 큰 사람을 보내 주소서. 웅변 대회 금메달 수상자라면 더 좋습니다.

가스파르가 나타나더니 자기 방에는 앉을 자리가 없으니까 옆 방으로 가자고 한다. 하긴 가스파르의 방은 작품 그 자체니까. 가스파르의 방을 둘러보던 관람객이 그 방을 점거하고 싶다고 했던 게 생각나서 웃음이 나려는 걸 꾹 참는다.

이곳의 대변인이라고 하던데?
✳✳ 나 혼자 대변인이라고는 할 수 없어. 여기 있는 예술가가 모두 대변인이라고 할 수 있으니까.

가스파르는 아주 듣기 좋은 목소리로 이야기를 시작한다. 말투도, 목소리도 대변인이란 공식 직함에 100퍼센트 어울린다.

네 말이 맞긴 하지만 모두들 네가 공식 대변인이라고 하던데?
여기서 공식 대변인이 하는 일은 어떤 거니?

 나는 처음 이곳을 점거했던 세 사람 중 하나야.

나머지 두 사람은 칼렉스와 브루노이고. 처음엔 그렇게 우리 셋이 들어왔고 곧 친구들에게 연락을 했어. 우리가 알맞은 장소를 발견해서 들어왔다고.

우린 지난 5월에 협회 조직법 1902조에 따라서 '59 리볼리'라는 협회를 만들었어. 그리고 협회를 공식화하기 위해 관할 구청에 신고를 했지. 그 과정에서 이곳의 예술가들은 나를 59 리볼리의 협회장으로 선출했어. 그리고 파스칼, 아니타, 샹탈, 베르나르가 회장단의 각기 다른 직책을 맡아 일하고 있고.

그러니까 나는 협회장직과 2, 3층 전시회 일정을 관리하고 있어. 그리고 대변인이라고 불리는 직책에 맞게 정치인들을 비롯한 여러 사람들을 만나거나 편지를 써서 우리의 상황을 알리고 있어. 우리가 어떤 일을 하고 있고 어떤 계획을 가지고 있는지를 대외적으로 알리는 일이지.

그렇다면 협회를 만든 것과 그렇지 않은 것에 큰 차이가 있는 거니?

 이 건물은 원래 프랑스 정부의 소유인데 우리가 불법적으로 사용하고 있는 거야. 정부는 즉각 소송을 제기했어. 사실 우리에겐 이곳을 사용할 권리가 없었으니까. 그리고 우리는 곧 추방령을 받았어. 하지만 즉각 추방되는 것이 아니라 처음에는 6개월, 그 다음에는 또 얼마간의 유예 기간을 받았어.

현재는 파리 시장이 우리를 어느 정도 지지해 주고 있어. 어쩌면 불법이란 입장에서 벗어나 완전히 합법적인 지위를 가질 수 있게 될지도 모르지.

우리가 이곳을 점거한 이유 중 하나는, 우리처럼 돈이 없는 예술가들은 물가가 비싼 파리에 작업실을 얻는다는 게 거의

이고발루트 미술관의 작품들.
가운데 KGB 결단식을 기념하는
사진이 보인다.

불가능하기 때문이야. 예술가들이 어디에 소속되어 일할 수 있는 제도가 있는 것도 아니고.

30년 전과 비교했을 때 최근 파리의 아틀리에 수는 10분의 1로 줄었어. 재개발을 이유로 모두 부수고 다시 짓지 않았거든. 그런데 우스운 일은 파리에는 500미터 간격으로 빈 건물이 있다는 거야. 우리는 생각했지. 창작열에 불타는 사람들이, 작업실이 없어서 아무 일도 못 하고 있는데 저렇게 많은 빌딩을 고스란히 빈 공간으로 둔 채 활용하지 않고 있는 건 잘못된 거라고. 그래서 이곳을 점거하는 일이 법을 어기는 일이긴 하지만 형평성이란 관점에서는 타당하다고 결론을 내리고 실행에 옮긴 거야. 토론거리가 될 만한 일이라고 생각하지 않니? 우리는 점거라는 불법적인 행동을 한 것 외에는 어떤 나쁜 일도 하지 않았어. 밤에 소음을 내서 이웃들을 괴롭히거나, 건

83

물을 손상하거나, 우리로 인해 사람들이 불평할 만한 일은 절대 하지 않았어. 우린 그저 방문객들을 위해 오후 한 시 반이면 건물의 문을 열고 일곱 시 반이 되면 문을 닫았어. 그러면서 우리는 정치인들을 설득해서 계속 이곳에서 작업할 수 있도록 지지해 달라고 했어.

우리가 원하는 건 작업할 수 있는 공간이야. 그리고 우리에게 협회를 조직하라고 조언한 사람은 바로 파리 시장이야. 그가 우리에게 동의한다는 내용에 서명하려면 합법적인 절차를 거쳐야 하는데, 그렇게 하려면 우리 역시 합법적인 단체여야 한다는 거야. 만약 우리가 이렇게 협회를 만들어 합법적인 단체 자격을 가지고 있지 않고 그냥 처음처럼 집단으로 머물러 있다면 아무것도 합법화할 수가 없다고 했어.

그러면 협회를 만든 다음 여기가 합법화된 거니?

✦✦ 아직 합법화된 건 아니야. 우리는 이곳을 불법으로 점거하고 있는 상태야. 다만 건물주인 파리시가 우리의 점거 행위를 눈감아 주고 있다는 사실이 예전과 다를 뿐이지. 합법화를 위한 문서에 서명하기 전까지 우리는 불법 점거자들일 뿐이야. 이곳이 빨리 합법화되길 바랄 뿐이지.

이곳은 로베르네 집이라고 불리던데, 로베르가 누구니?

✦✦ 건물 밖을 자세히 살펴봤니? 잘 보면 '로베르' 라는 간판이 있어. 우리가 여기 들어오기 전부터 이 건물에 붙어 있던 간판이야. 이 건물을 폐쇄하기 전에 있던 상점의 이름일 거야. 우리는 그 간판을 발견하고 이곳을 로베르네 집이라고 부르기로 했지. 로베르는 프랑스에서 아주 흔한 이름 중 하나야. 그래서 로베르 소시지 가게, 로베르 빵집 같은 이름의 상점이 아주 많아.

자유로운 전자라는 것은 무슨 의미가 있는 거니?

✦✦ 우리의 정체성을 나타낸다고 할까? 전자란 우리가 항상 빠르게 이동하는 사람들이란 걸 나타내고, 또 우리는 자유로우니까.

누가 붙인 이름인데?

** 내가.

정말 이곳에 꼭 맞는 재미있는 이름이다. 그런데 1층 입구에 있는 시간표에 따라 로베르네 집 사람들이 입구에 앉아 있던데, 그렇게 하는 특별한 이유가 있니?

** 우리는 여기를 모든 사람들에게 개방하고 싶었어. 일요일만 빼고 매일. 그래서 적어도 한 사람씩 돌아가며 두 시간 동안 입구에 서서 사람들에게 여기가 어떤 곳인지 설명해 주고 누구나 방문할 수 있는 곳이라고 친절하게 안내해 주기로 한 거야. 사람들은 이곳이 어떤 곳인지 모르니까.

또 다른 한편으로는 우리 모두가 책임 의식을 가진다는 의미도 있어. 왜냐하면 그 일은 서로 협조해야 할 수 있는 일이거든. 지나가던 사람들이 호기심을 가지고 입구를 쳐다볼 때 "안녕하세요." 하고 인사를 하고 방문객이 돌아갈 때도 "안녕히 가세요." 하고 말하는 것도 아주 중요한 일이잖아.

그건 맞는 말이야. 내가 이곳에 처음 왔을 때 입구에서 안을 기웃거렸더니 누군가 내게 인사를 건네며 들어가서 봐도 된다고 친절하게 일러 주어서 좋았거든. 그런데 넌 예술가로서 어떤 작업을 하고 있니?

** 바로 옆 방에 있는 이고발루트라는 미술관을 운영하고 있어. 그건 일종의 총괄적이면서도 끝이 없는 설치 작품이라고 할 수 있지.

처음에는 나 혼자 길에 버려진 좀 특이한 물건을 모으기 시작했어. 대부분 쓰레기통에 버려진 물건들이었기 때문에 일부가 잘라지거나 떨어져 나간, 온전치 못한 형태였어. 새장이나 의자 또는 마네킹과 같은 물건들이었지. 처음에는 나 혼자 그런 물건들을 주워서 이고발루트 미술관에 가져다 놓았는데 점차 다른 사람들도 특이한 물건들을 가져오기 시작했어. 그래서 이고발루트 미술관은 특이한 물건으로 가득 차기 시작했지.

이고발루트 미술관의 소장품.

그런데 이고발루트라는 이름은 무슨 뜻이야?

**°°** 헝가리 전화번호부에서 찾아 낸 이름이야. 눈을 감고 아무 페이지나 펼쳐서 손가락으로 짚었는데 이고발루트란 이름이 걸린 거야. 그러고 나서 그 전화번호부를 불에 태워 버렸어. 우리가 찾던 건 어떤 무명인의 이름이었으니까.

미술관의 이름에는 대개 피카소 미술관이나 반 고흐 미술관처럼 유명한 사람의 이름이 붙어 있잖아. 하지만 우리는 일반적인 미술관에 반대되는 의미로 무명의 미술관을 만들어 보고 싶었어.

그래서 여러 사람들이 가져온 물건들로 미술관을 채우기 시작했지. 일단 이고발루트에 어떤 물건을 가져다 놓은 사람이면 누구나에게 미술관장의 자격이 주어지기 때문에 현재 이고발루트 미술관에는 800명의 미술관장이 있어.

그러면 나도 뭔가를 가져다 놓을 수 있는 거야? 그러면 나도 미술관장이 되는 거네. 재미있는 아이디어야.

이고발루트 미술관 입구.

** 물론이야, 네게 의미 있는 물건을 가져다 놓거나 또 시를 지어 전시해 놓을 수도 있어.

그러니까 이고발루트는 우리들의 미술관이구나.
** 그럼, 모든 사람의 미술관이지.

이런 일을 하기 전에는 무슨 일을 했니?
** 나는 프로방스에서 태어나서 툴롱에서 자랐어. 그리고 스무살 때 파리로 왔지. 대학에서는 영문학을 전공했는데 석사 과정을 마치고 공부를 그만뒀어. 그리고 피자 배달을 했어. 5년 동안. 그 일을 그만둔 다음엔 여기 일에 참여해서 이고발루트 미술관 작업을 하고 있지.

왜 예술가가 되었는데?
** 글쎄, 자의적인 게 아닐지도 몰라.

그럼 운명 같은 걸까?

** 그럴지도 모르지. 나는 이 사회에 대해 깊이 생각해 보곤 해.
사회가 어떻게 돌아가는지 이해하기 위해서지. 그런데 사회
가 개인의 시간을 완전히 장악하고 있다는 사실을 이해할 수
없었어. 매일 8시간씩 일하고 일 년에 딱 한 번 휴가를 갈 수
밖에 없는 시스템을 이해할 수 없었어. 그리고 모두 왜 그렇
게 살려고 하는지도 도무지 알 수 없었어.

그래서 그 문제에 대해 심각하게 생각해 보았고 이곳을 열린
장소로 만들어서 우리가 이상적이라고 생각한 모델을 직접
만들어 보기로 했어. 이미 만들어져 있는 구조에 들어가야 할
필요는 없다고 생각하면서.

그리고 시내 한가운데 사람들이 만날 수 있는 장소를 만들어
보자는 생각도 했어. 그것 역시 중요한 계획의 일부였어. 사람
들이 마음대로 들어가서 자유롭게 구경하고 산책할 수 있는
공간이 드물다는 생각을 하고 있었거든. 지겨운 광고나 스트
레스, 일, 환경 오염은 견디기 힘든 것들이잖아. 그래서 내가
작업하는 공간에 자유롭게 생각할 수 있는 장소를 마련하고

이고발루트 미술관의 기발한 소장품들.

싶었어.

모든 도시는 사람들이 생각하고 산책할 수 있는 공간을 포함하고 있어야 해. 절대적으로.

가스파르. 너는 한국에 오면 기절하겠다. 우리는 보통 토요일에도 일하고 휴가도 보통 일 년에 한 번, 일주일쯤 다녀오는데. 프랑스는 여름 휴가가 한달이잖아.

＊＊ 정말이니? 아이고, 그건 정말 힘들겠다.

전시회는 어디서 해 봤니?

＊＊ 1999년에 내 친구들과 독일의 바덴바덴 미술관에서 했어. 그때 이고발루트 미술관의 작품들과 함께 워홀, 피카비아의 작품들이 전시됐어. 그러니까 내 개인전은 아니었지. 이고발루트 미술관을 소개하는 게 목적이었어. 그 미술관장이 우리를 초대했는데 이고발루트 미술관의 발상이 아주 흥미롭다고 생각했나 봐.

그러니까 공식적인 전시 경력으로는 독일에서 두 달 동안 전시회를 한 게 다야. 재미있었어.

다른 곳에서도 전시를 할 마음이 있니?

** 물론이지. 가능하다면 대환영이야. 하지만 지금은 여기 일도 너무 많고 굳이 전시회를 하기 위해 여기저기 찾아 다닐 마음도 없어. 하지만 2003년 8월에 스위스 주네브 현대 미술관에서 여기 예술가 15명과 함께 전시회를 할 계획이야.

로베르네 집 예술가들이 전 세계에서 전시회를 열 수 있으면 좋겠다.
** 나도 같은 생각이야.

여기서 작업하고 싶어하는 사람들이 많을 것 같아.
** 여기에는 32개의 작업실이 있는데 모두 작업과 전시를 겸하고 있고, 14명의 예술가가 이곳에 살고 있어. 현재는 남은 공간이 전혀 없어. 작업실이 나기를 기다리는 대기자 명단도 상당히 길고. 게다가 초창기부터 여기에서 작업해 온 사람들에게, 다른 사람들을 위해 길에 나가서 작업하라고 할 수는 없잖아. 어쨌든 빈 작업실이 나면 기다리는 순서대로 배정해. 이렇게 공간이 부족하기 때문에 2층과 3층에 전시 공간을 만들었어. 다른 예술가들도 우리의 모험에 동참할 수 있는 기회를 주기 위해서지. 2층에는 작은 전시 공간이 있는데 주로 시작 단계의 작가들이 열흘 정도 전시를 해. 3층에는 훨씬 큰 전시 공간이 있어. 전시는 3주 정도 열리고 공간이 크니까 다양한 작품을 보여 줄 수 있지.
여기서 작업하고 싶어하는 사람들이 많은 건 이상한 일이 아니야. 시내 중심에 위치한 데다가, 지난 3년 동안 우리는 사용료를 전혀 지불하지 않으며 자유롭게 작업을 해 왔고, 항상 작품을 감상하려는 방문객들이 붐비고 있으니까. 그런 현상은 이런 일에 참여해 보고 싶어하는 사람이 많다는 사실을 나타내 주기도 하고, 여전히 작업실이 필요한 사람이 많다는 사실을 의미한다고도 생각해.

파리의 다른 점거 아틀리에는 이곳과 분위기가 좀 다르던데?
** 그런 면이 있지. 다른 곳은 이곳보다 훨씬 폐쇄적이야.

우리는 여기를 방문하는 사람들을 매우 중요하게 생각해. 현대 미술을 소개하는 화랑이나 미술관이 대중과 너무 동떨어져 있다고 생각하거든. 기존 미술관에서는 항상 예술 작품을 전시하고, 또 관람객이 많지만 그게 다야. 관람객은 물건을 사는 소비자나 다름없어. 입장권을 사기 위해 돈을 지불하고 작품을 보고는 가 버리니까.

여기를 사람들에게 공개하는 이유는 예술가들이 어떻게 작업을 하는지를 보여 주고, 예술가들과 말할 수 있는 기회를 주기 위해서야. 그렇게 해서 예술가와 관람객과의 간격을 줄이자는 거지. 예술은 이해하기 어렵고 성스러운 것만이 아니라 우리와 아주 가까운 것이며 함께 토론하고 만져 볼 수 있는 것임을 보여 주려는 거야.

그러니까 우리의 목적은 예술에 접근할 수 있는 기회를 모든 사람들에게 공평하게 주는 거야. 그런 아이디어를 현실화하려면 적당한 공간이 있어야 한다는 게 우리의 생각이고.

이곳에 14명의 사람들이 살고 있다고 했는데, 그런 주거 공간은 보지 못한 것 같아.

** 거긴 사적인 공간이라서 공개하지 않고 있어.

우리는 남녀 비율도 비슷하게 유지하려고 노력해. 점거 아틀리에의 경우 보통 남자들의 수가 우세하거든. 그렇지만 우리는 남녀가 공평하게 작업을 할 수 있도록 공간을 나누어 갖고 특정한 나이나 국적을 초월한, 모든 사람들이 평등하게 어울려 있는 장소를 만들려고 노력하고 있어.

작업을 하지 않을 때는 무슨 일을 즐겨 하니?

** 먹는 것, 자는 것, 책 읽는 것, 음악 듣는 것, 영화 보는 것, 연극 보는 것, 산책하는 것, 서양장기 두는 것, 신문 읽는 것, 토론하는 것, 여행 가는 것.

마지막으로 예술가 지망생들에게 한 마디 한다면?

** 글쎄, 모딜리아니의 말 "네 현실의 숙제는 너의 꿈을 구해 내

사진 한 장 찍을 시간도 없이
바쁘게 사라지는 가스파르.

는 것이다."를 인용하는 게 좋을 것 같다. 꿈을 버리지 말라
고, 꿈은 예술가의 인생에서 가장 중요하다고 말하고 싶어.

가스파르와 얘기가 끝나기 무섭게 한 무리의 사람들이 들이
닥친다. 그는 사람들과 반갑게 인사를 나누더니 일이 있다면서
바쁘게 뛰어 나간다. 사진 한 장 찍을 사이도 없다. 다음을 기약
하는 수밖에.

일단 이고발루트 미술관의 사진을 찍는다. 엄청난 전시물이
쌓여 있다. 800명에 달하는 미술관장의 기증품이다. 모든 사람
의 미술관이라니, 기발하고 멋진 아이디어가 아닌가? 그의 설명
을 듣고 나니 이고발루트 미술관이 완전히 달라 보인다.

가스파르, 나는 그의 머릿속을 점거하고 싶다.
기상천외한 생각이 무궁무진하게
샘솟는 그의 머릿속을. 그의 대표 작품은 바로
리볼리가 59번지 로베르네 집이다.

# *린다,
## 사물의 내면을 꿰뚫어 보는
## 크고 아름다운 눈

슬로바키아에서 태어나다.
사람들을 좋아해서 노숙자 급식 또는 아이 돌보기와 같은
자원 봉사 프로그램에 오래 전부터 참가해 오고 있다.
짐 자무시 감독의 "지상의 밤"이란 영화를 보면
짙푸른 새벽녘 파리의 생 마르탱 운하를 걸어가는 장님 여인이 나온다.
앞에 있는 물체는 볼 수 없지만 사물의 내면을 꿰뚫어 볼 것 같은
아름답고 커다란 눈을 가진 여인이 말이다.
린다의 눈 역시 세계의 내면을 향해 열려 있다.

✻ 어떤 때는 수줍은 소년처럼 보이기도 하고, 어떤 때는 "베티 블루"란 영화의 주인공을 맡았던 프랑스 여배우, 베아트리스 달을 연상시키는 린다. 린다를 만나는 목요일 파리의 날씨는 상반된 두 얼굴을 모두 드러내고 있다. 한쪽은 파란 하늘이, 다른 쪽은 터질 듯이 찌푸린 먹구름이 뒤덮고 있다. 5층에 있는 린다의 작업실로 올라가자 두 얼굴의 파리 하늘이 아주 가깝게 보인다.

새벽 일은 잘 마쳤니? 새벽 네 시에 일어나려면 좀 힘들겠다.
✷✷ 응, 그렇지만 내가 좋아하는 일인데 뭐.

　린다는 매주 목요일 노숙자 급식을 돕는 자원 봉사 일을 하고 있다.

오늘 하늘 봤니?
✷✷ 하늘은 언제나 내 선생님이야. 여기서 이렇게 해가 뜨고 질 무렵의 하늘을 바라보고 있으면 굳이 색채학 같은 건 배우지 않아도 돼.

그림을 그린 지는 얼마나 됐니?
✷✷ 한 번 맞춰 봐.

글쎄 한 8, 9년쯤?
✷✷ 아니야. 8개월 됐어.

말도 안 돼. 8개월이라고? 믿어지지 않아.

●● 정말이야. 여기서 배우기 시작했어. 물론 학교 다닐 때 그린 것 빼고. 요새는 공간감과 빛을 표현하는 일에 매달려 있어. 외부로 나타나는 모습과 그 안의 보이지 않는, 아니 볼 수 없는 어두운 내부를 동시에 그리고 싶거든.

그러면 어떤 계기로 그림을 그리게 됐는데?

●● 처음엔 여기에 그냥 구경하러 왔어. 다른 방문객들처럼 말이야. 그러다가 이곳이 마음에 들어서 자주 오기 시작했지. 그러는 동안 여기 있는 프란체스코, 디아나와 친해졌어.

그 후에 에콜 보자르에 들어가려고 칼렉스에게 조각을 가르쳐 달라고 했어. 조각도 배우고 싶었고, 칼렉스의 조각 작품도 너무 마음에 들었거든. 그는 선선히 허락을 해 주었고 나는 그의 작업실에서 조각을 배웠어. 그때 마침 디아나가 장신구 전시회를 함께 하지 않겠냐고 제안하는 거야. 나도 계속 장신구를 만들고 있었거든. 그러면서 디아나와 작업실을 함께 쓰기 시작했지.

그리고 몇 달 후 사라가 그림을 그려 보는 게 어떻겠냐고 했어. 그렇게 해서 그림을 그리기 시작했고 지금까지 그리고 있는 거야.

화가가 된다는 건 결심 같은 것과 상관없이 어느날 그냥 되는 것 같아. 요새 난 그렇게 느끼곤 해. 지금은 이렇게 그림을 그리고 있지만 이전에도 나는 뭔가를 계속 쓰고, 그리고, 만들고 있었어. 그 모든 것들이 모여 어느날 자연스럽게 그림을 그리게 된 것 같아.

나는 수첩에 내 생각을 그림으로 표현해 보곤 해. 그리고 얼마, 아니 오랜 시간이 흐르면 그 생각을 현실화시킬 수 있는 방법이 떠올라.

(린다는 내게 공책을 보여 준다. 크로키와 글이 빽빽하다.) 이렇게 마구 스케치를 하면서 내 속에 조각조각 흩어져 있는 것들을 하나로 결합하려면 오랜 시간이 필요해. 그렇게 시간이 흘러야 어떤 생각을 객관화하고 분석해서 그림으로 또는 다른 형태로 나타낼 수 있어.

하늘을 보기 위해 창가에 선 린다.

96

자신의 아틀리에 창가를 배경으로
환하게 웃고 있는 린다.

때로는 그림으로 나를 내게 설명하고 있다는 생각이 들어. 그
림은 내 삶의 부분이니까. 모든 색은 나의 각기 다른 감정과
생각을 나타내지. 긍정적인 부분이나 부정적인 부분 모두를
말이야.

지금도 에콜 보자르 입학 준비를 하고 있니?

•• 아니, 작년에 파리 근교 세르지에 있는 보자르에 지원해서 입
학 허가를 받았어. 그런데 그 학교는 내게 영화나 비디오와
관련된 공부를 하라고 권하는 거야. 영화라면 나는 이미 열여
섯 살 때부터 지금까지 10년이나 공부했어. 이젠 더 이상 공
부할 필요가 없다고 생각하고 있거든.

나는 페스티벌에 필름을 내 본 적도 있고, 장편 영화를 찍는
일에 참여해 본 일도 있어. 대학에서도 영화를 공부했어. 영

린다의 아틀리에.

화 산업 쪽도 공부했고.

지금도 필름으로 작업하는 영화에는 흥미가 있지만 디지털 방식은 별로야. 디지털 카메라로 작업하면 색상이 너무 인공적이거든.

파올로 타비아니와 비토리오 타비아니 밑에서 일한 게 내 영화 인생의 마지막 경험이었어. 그들과 일하게 되었을 때 정말 초흥분 상태였어. 그들은 60년대 이탈리아 영화를 변화시킨 사람들이거든. 그때 나는 런던에 살고 있었어. 내 친구가 전화를 해서 일할 마음이 있냐며 감독 이름을 말해 주자마자 나는 돈을 안 받아도 좋으니 그들과 일하겠다고 했어. 그게 마지막 영화 일이었어. 그리고 슬로바키아로 돌아갔다가 파리로 왔지. 파리에 온 지는 일 년 반쯤 됐어.

파리에 있으면서 나는 아이들 문제에 관심이 많아졌어. 매주

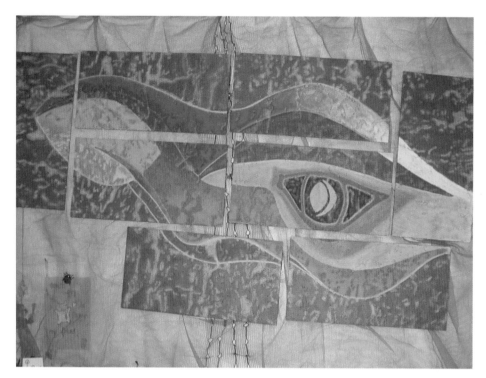

린다의 작품들.

토요일에는 가정 형편이 어려운 아이들을 돌봐 주는 곳에 가서 아이들과 함께 그림도 그리고 목걸이도 만들어. 그리고 8개월 전부터 그림에 몰두해서 지금은 그림 그리는 일이 내 인생의 전부가 되었지. 지금까지 내 인생은 대강 이랬어. 이게 다야. 참, 나는 돌아다니는 것도 좋아해.

여기서 그림 그리는 일에 만족하니?
•• 지금까지는. 만족하지 못했다면 벌써 떠났을 거야. 나는 순간에 충실하거든. 내가 좋아하는 것을 찾아서 하고. 그렇지 않다면 다른 것을 찾아 떠나.

그러면 1, 2년 후에는 뭘 할 생각이니?
•• 여기 계속 머물 생각은 없어. 다른 것을 찾아야지. 여긴 내 자리가 아니야. 그림을 그리는 건 좋지만 여기 오래 머물고 싶지는 않아. 지금으로서는 남아메리카로 떠날 계획이야. 곧바

로 갈 건 아니지만.

남아메리카에는 왜?
** 나를 가르쳐 줄 선생님을 찾으러 갈 거야. 지금까지 여기서도
나는 많은 걸 발견했지만 이걸로는 부족해. 전에는 내가 뭘
찾는지도 몰랐어. 하지만 지금은 알아. 내가 뭘 찾고 있는지.

네 안에 있는 어떤 걸 발견하려는 거구나?
** 응, 남아메리카에 가서 작업을 할 거야. 그림과 조각 모두 거
기서 계속할 거고. 사람의 몸은 몸이라는 면에서 모두 같아.
하지만 몸마다 의미하는 건 모두 달라. 나는 같은 대상이라도
언제나 다르게 보이도록 나타내고 싶어.

영화를 계속할 마음은 없는 거야?
** 영화 작업을 하더라도 전력투구할 마음은 없어. 이미 영화는

작업중인 린다.

내가 마침표를 찍은 부분이거든.

나는 혼자 작업할 수 있는 일이 좋아. 그룹으로 3, 4개월 함께 일하고 끝내는 일이 이제는 별로 마음에 들지 않아. 또 상업 예술은 당분간 피하고 싶어.

네가 그림을 계속했으면 좋겠다. 나는 네 그림이 좋아.

•• 고마워. 하지만 배운 적이 없어서 내가 표현하려는 게 마음대 로 안 돼. 그게 속상해. 이 그림을 봐. 평면적이면서도 입체적 인 그림을 그리려고 하는데 그 두 가지를 동시에 표현하는 게 쉽지 않아. 색을 수없이 섞어서 그리고 또 그려 보지만 아직 도 해답을 못 얻었어. 그럴 때는 가끔 절망적인 기분이 들어. 난 언뜻 보기엔 평면적이지만 공간감이 있는 입체적인 그림 을 그리고 싶어. 저 하늘처럼. 벽에 걸려 있지만 내부를 들여 다볼 수 있을 것 같은 그림말이야.

린다는 작품에 그물을 활용하기도 한다. 그 사이로 빛을 투과시키기 위해서라고 한다. 그녀가 조명 위에 그림을 올려 놓자 천정에 그림자가 비친다. 조명에 변화를 주면 천정에 비친 그림도 함께 변한다. 이런 효과 덕분에 그림은 벽에 그냥 걸려 있을 때와 매우 달라 보인다.

다음날 작업실 앞을 지나가는데 린다가 캔버스에 아주 밝은 노란색을 칠하고 있다. 내가 "안녕" 인사하자 그녀가 고개를 들어 나를 보는데 그 얼굴에 눈물이 흐르고 있다. "린다, 무슨 일이니?" 하고 걱정스럽게 묻자 지금 칠하고 있는 노란색이 자기와 너무 대조되는 것 같아 자신도 모르게 눈물이 흐른다고, 별일 아니라고 말한다.

린다의 등 뒤로 보이는 파리의 하늘은 안개비를 내려 줄까 말까 고민하고 있는 듯 잿빛 구름으로 뒤덮여 있다. 이제 곧 12월이 되면 오후 3시에도 한밤중 같은 암울한 날씨가 봄까지 계

속되겠지. 햇빛이 찬란한 여름에 파리를 방문한 사람들은 겨울의 파리를 상상도 할 수 없을 것이다. 나는 마음속으로 린다에게 말한다. '이럴 때는 날씨 탓을 하는 거야. 아, 오늘 날씨는 너무 나빠. 이렇게 노란색을 칠해도 기분이 나아지지 않는걸, 하고 말이야. 그런 다음 휘파람을 휘익 불어. 그러면 깜짝 놀랄 정도로 기분이 좋아져.'

린다, 그녀의 눈은 크게 열려 있어
모든 것을 빨아들인다.
빛 속의 어둠, 어둠 속의 빛,
겉과 안, 긍정과 부정,
반복과 차이, 기쁨과 슬픔을.

**린다의 아틀리에에서 내다본,
잿빛 구름으로 뒤덮인 파리의 하늘.**

# 파베스코,
## 그림 요정들의 대모

프랑스에서 태어나다.
그림을 그리며 살아가는 게 어렵긴 하지만
매일 아침 일찍 일어나서 정해진 곳으로 가지 않아도 되므로 신난다는,
아이의 마음을 가진 어른.
점잖은 어른들일수록 일단 파베스코의 그림을 보면
위엄과 권위를 내던지고 아이들보다 흥분하는 경향이 있다.
그녀는 자신과 같은 동화의 마음을 가지고 있는 어른들이
생각보다 많다는 사실을 직접 그림으로 증명해 보이고 있는 셈이다.

✳ 파베스코는 열심히 작업중이다. 단순히 붓으로 물감을 칠하는 게 아니라 헤어 드라이어를 켜서 물감을 말리고 그림 속에 솜을 넣고 바느질을 한다. 무슨 마술을 보고 있는 기분이다. 나는 요술을 부리듯 움직이는 파베스코의 손을, 감탄을 하면서 한참 동안 바라본다.

파베스코, 사랑스런 네 그림의 주인공들 얘기 좀 해 줄래?
" 그냥 우연히 태어난 내 아이들이야. 그럴 듯한 얘깃거리는 별로 없어.

그래도 인물들마다 특별한 의미가 있을 것 같아.
" 그림 속의 각 인물들은 모두 자기만의 개성을 가지고 있어. 우리들처럼 각자 성격도 다르고 행동하는 것도 다르지.

모두 너무나 사랑스럽다.
" 이름도 있어. 이 사람의 이름은 '엄청난 행복' 이야. 저 사람은 '무조건 복종' 이고. 그런 식으로 각자의 이름을 가지고 있어.

이름 짓는 일도 만만치 않겠는데?
" 우선 이야기를 생각해 내고 그 성격에 어울리는 이름을 지어. 그 다음에는 그 두 가지를 합해서 이야기를 더 재미있게 발전시키지.

언제부터 이런 스타일의 그림을 그렸니?
" 한 10년쯤 됐어.

나쁜 세상에 살기 위해 나쁜 사람이
될 거라고 외치는 무조건 복종씨.

짧지 않은 역사를 가지고 있구나.

••응, 쉽게 되는 일은 없으니까. 얘기를 지어내는 데 시간이 좀
걸려. 하지만 난 이야기를 지어내는 걸 좋아해. 그러니까 지
금까지 이렇게 그리고 있는 거야.

어떤 이야기들을 만들었니?

••예를 들면 무조건 복종씨는 사람을 아주 편안하게 해 주는 마
음을 가졌어. 누가 뭐라고 해도 그는 그대로 놔두고 따르는
큰마음을 가졌지. 그리고 그의 마음은 누구나 가져갈 수 있
어. 그림을 보면 그의 심장 부분이 가위로 오릴 수 있도록 표
시되어 있어.

이 그림과 관련된 이야기의 내용은 우리의 마음에 귀를 기울
이라는 거야. 우리는 선과 악에 관해 자주 이야기하지만 그건
각자의 내면 깊숙한 곳에서 들리는 진실에 귀 기울이면 쉽게
알 수 있는 문제잖아.

네 말을 들으니까 그림이 더 재밌어. 감탄스러워. 난 무조건 복

종 씨의 커다란 입이 마음에 든다. 하지만 그는 성격상 별로 말
이 없는 사람일 것 같아.

◆◆ 그는 무뚝뚝해 보이지만 실은 따뜻한 가슴을 가졌지. 그런데
어떤 사람들은 내가 아이들이나 좋아할 그림을 그린다고 해.

그 사람은 추억할 만한 어린 시절이 없나 봐. 나는 네 작업실에
오면 술래잡기, 고무줄 놀이 같은 게 하고 싶어지는데.

◆◆ 나는 그 사람들에게 이런 그림이 필요한 사람은 아이들이 아
니라 어른이라고 말하지. 또 나를 덜 자란 어른 취급을 하면
서 언제까지 이런 식의 그림을 그릴 거냐고, 돈을 벌기 위해
서 이런 그림을 그리냐고 하는 사람도 있지만 그들이 뭐래도
좋아. 난 내가 만든 내 아이들이 자랑스러우니까.

**따뜻한 마음이 없다면 마음을
하나 꿰매어 가지렴.**

아주 씩씩한 엄마구나. 네 그림의 주인공들도 널 자랑스럽게 생

작업중인 파베스코.

각하고 있을 거야.

••그 사람들 말처럼 난 아이의 마음을 가지고 있어. 하지만 중
요한 건 내가 아이가 아니란 점이야.

그 동안 전시회 요청이 많았을 것 같아.

••꽤 많이 했어. 파리뿐 아니라 프랑스의 다른 도시나, 다른 나
라에서도 했어.

그림은 언제부터 그렸는데?

••열여덟 살.

그림을 그리게 된 특별한 계기가 있었던 거야?

••그냥 그림을 그리고 싶었어. 그리고 출퇴근하는 일은 정말 내
게 맞지 않았어. 물론 그림이 어느 수준에 오르기까지 나는
생계를 위해 여러 가지 일을 했어. 돈을 벌지 않으면 그림을
그릴 수도 없고 집세를 내거나 기본적인 생활을 할 수도 없으
니까.

입체적이어서 더 재미있는
파베스코의 작품.

파베스코는 이곳에 들어오기 전에 프랑스 남부의 툴루즈에서 작업을 했다. 그 전에는 트럭을 집 삼아서 세계 이곳저곳의 아틀리에를 수년 동안 돌아다녔다. 하지만 그림의 중심은 파리이므로 그 동안의 유랑생활을 과감히 마감하고 파리에 머물고 있는 중이다. 그런데 파리는 아름다운 도시이고 많은 그림상들이 모여 있는 곳이라는 점에는 불만이 없지만 가난한 예술가가 그림을 그리면서 버텨 나가기엔 물가가 너무 비싼 도시라며 그녀는 한숨을 쉰다.

파베스코는 로봇을 그리고 있다. 지금은 로봇을 작동시키는 스위치를 그려 넣고 있는 중이다.

이 그림의 주인공은 내가 어렸을 때 갖고 놀던 로봇과 비슷하게 생겼다.
●● 그래? 나는 작업과는 별도로 로봇이나 장난감을 수집하고 있어. 한 500개쯤 돼. 이 로봇도 그중에서 고른 거야.

네 그림은 사람들을 행복하게 해 줘. 어제 이곳 사람들과 얘기하면서 이 앞을 지나가는데 그림을 보고 있는 관람객의 얼굴이

파베스코의 그림은 사람들의 마음을
위로해 준다.

모두 환하더라. 모두들 즐거워 보였어.

　그래? 내 그림이 나를 도와 줄 때도 많아. 요즘 세상은 현실로
받아들이기에는 너무 이상한 일도 많잖아. 그런 세상에 대한
고함소리나 울음소리를 그림으로 간신히 틀어막고 있다는 생
각이 들 정도니까. 그럴 때면 내 그림들이 위로가 돼.
내 그림이 나는 물론이고 다른 사람들까지 치유해 줄 수 있다
면 더 이상 바랄 게 없지.

네 그림은 그저 평면적인 그림이 아니라 입체감이 있어서 더욱
재미있어. 어떻게 이런 아이디어를 생각해 냈니?

　어느날 나는 캔버스에, 내가 주로 작업하는 방법 가운데 하나

방문객에게 판매하는
파베스코의 그림 엽서.

인 바느질을 하고 있었어. 그러던 중 그림의 주인공들을 좀더
현실로 튀어나오게 만들면 어떨까 하는 생각이 들었고 곧바
로 실천에 옮겼지. 그래서 이렇게 솜을 넣어 부피감을 주게
된 거야.

그림이 입체적이니까 품에 안고 싶다는 생각이 들어. 넌 어떤
색을 가장 좋아하니?
오렌지색이 바로 내가 가장 좋아하는 색이야. 그 색이 언제나
제일 예뻐 보이거든. 하지만 빨간색도 좋아해. 모든 색은 각
기 다른 느낌을 간직하고 있어서 모두 좋아.

오렌지색은 예쁘기는 하지만 보고 있으면 배가 고파져.
" 정말? 그렇다면 더 좋은 일이지.

그림 그리는 걸 어디에서 배웠니?
" 일하면서 배웠어. 2년 정도 실내장식 일을 한 적이 있어. 큰
규모의 작업을 하는 곳이었어. 가짜 조각상을 만들고, 가짜
대리석을 진짜처럼 보이도록 그리는 등 여러 가지 일을 하기
때문에 그만큼 아이디어가 필요한 곳이었어. 거기서 일하면
서 그림을 그리는 걸 배웠고 다양한 표현 방법을 익혔어. 2년
쯤 거기서 일을 하고 그만두었지. 다른 사람을 위해서가 아닌
나를 위해, 나만의 그림을 그리고 싶었거든.

미술 대학 같은 곳에 다닌 건 아니구나.
" 한 마디로 인생에서 그림을 배운 거야. 스스로 만들어진 예술
가라고나 할까?

예술가에게 가장 중요한 건 뭘까?
" 진실함이라고 생각해. 작업하고 싶은 진실한 마음이야말로
예술가의 전제 조건이라고 생각해.

파베스코의 전시회 포스터.

예술은 누가 등 떠민다고 할 수 있는 게 아니야. 어느날 갑자
기 화가가 되어 볼까, 또는 조각가나 사진가가 되어 볼까 하
고 생각한다고 그런 사람이 될 수 있는 건 아니거든. 빵 가게
나 과일 가게 주인은 그런 결심만으로도 될 수 있겠지만 예술
은 운명적이라고 느낄 만큼 자기도 모르게 선택하는 일이란
생각이 들어.
난 어렸을 때부터 그림을 그렸어. 그때 난 이미 그림에 대한
어떤 강렬한 욕구를 느꼈거든. 그런 욕구가 없었다면 내가 지
금까지 그림을 그리지도 않았겠지.
그리고 진정한 의미의 예술가가 되는 데 미술 대학 같은 건
크게 중요하지 않은 것 같아. 물론 어떤 테크닉을 배우는 데
는 도움이 되겠지. 그래서 좀더 시간을 단축할 수도 있을 거
고. 하지만 미술 대학을 다니면 선생의 스타일에 영향을 받게

돼서 자기만의 독창성을 잃을 수 있어.

나는 테크닉 같은 건 혼자서도 터득할 수 있다고 생각해. 혼자 그리면 자기만의 독특한 스타일도 발견할 수 있잖아. 그런 의미에서 나는 혼자 깨우치는 게 더 낫다고 생각해. 물론 그곳에서 배우고 작업하는 친구들도 많아. 하지만 미술 대학을 졸업한 사람 중 작업을 계속하는 사람들이 기껏 20퍼센트나 될까? 나머지는 완전히 다른 일을 해. 그러니까 미술 대학이 예술가가 되기 위해, 예술가로 살기 위해 반드시 거쳐야 하는 과정이라고는 생각하지 않아.

어쨌든 나는 혼자 배우는 편을 선택하겠어. 독창성을 위해서.

네 말이 맞아. 작업하고자 하는 마음이 없다면 머릿속에 있는 어떤 지식만으로는 예술가가 될 수 없으니까.

∴ 맞아, 하고 싶은 마음과 계속하려는 의지 같은 거야말로 가장 중요한 요소야. 여기 있는 사람들은 대부분 전문적으로 조각하는 법이나 그림 그리는 법을 배운 적이 없어.

혹시 『어린왕자』 같은 동화책을 만들 생각은 없니?

∴ 많은 사람들이 그런 질문을 하는데 지금으로선 여러 가지 제약이 많아. 하지만 언젠가는 내가 만든 이야기에 그림을 그린 동화책을 만들어 보고 싶어.

네 그림을 보고 아이들처럼 좋아하는 사람들을 보면 어떤 생각이 드니?

∴ 그게 바로 내가 원하는 거야. 가끔 어떤 사람들은 이게 그림이냐고 혹평을 하기도 해. 사진을 찍은 듯이 정교하게 그린 풍경화나, 베이컨의 추상화는 그림이지만 내 작품은 그림이 아니라는 고정관념을 가지고 있는 사람들도 많거든. 하지만 사진 같은 그림을 왜 그려야 하는지 난 도무지 이해할 수가 없어. 그림은 똑같은 사물과 대상을 두고도 작가마다 다르게 표현할 수 있잖아. 그렇지 않다면 그림이 무슨 의미가 있겠어. 간혹 사람들은 사진 한 장을 찍으면 더 나을 것 같은 일

파베스코 그림의 사랑스런 주인공들.

을 화가에게 요구하곤 해. 선입견으로 꽉 찬 사람들이지.

그래서 난 여기가 좋아. 부자이거나 가난한 사람, 학식이나 교양이 풍부하거나 그렇지 않은 사람, 남녀노소 모두 여기에 찾아오니까. 그런 관람객들 때문에 이곳이 자유롭고 다양한 문화가 공존하는 공간이 된 것 같아.

다른 분위기에서 그림을 그려 보고 싶은 생각은 없니? 이를테면 현대 미술의 대표 도시인 뉴욕 같은 데서 말이야.

•• 얼마 전에 유엔에서 일하는 사람을 우연히 알게 됐어. 내 그림을 몇 점 산 사람이지. 그가 내게 제안하길, 뉴욕 시내에 자신의 커다란 아파트를 예술가들에게 무료로 임대해 주고 있는데 그곳에서 작업할 생각이 있으면 말하라는 거야. 뉴욕의 집값은 파리보다 비싸다는데 그럴 듯한 제안 아니니?

하지만 그곳에 간다 해도 시내 구경 같은 것에는 관심 없어. 나는 관광을 좋아하지도 않으니까. 단지 작업 분위기를 바꾸고 싶을 뿐이야. 휴식 같은 건 필요 없어. 작업 환경을 바꾸는 것 자체가 내겐 휴가니까.

뉴욕에 가면 네 그림의 주인공들도 뉴욕 스타일이 되겠다.

•• 그럴지도 모르지(그녀는 헤어 드라이어를 켜고 캔버스에 칠한 물감을 말리면서 말한다). 이렇게 하면 물감이 빨리 잘 말라. 그림에다 드라이어를 들이댄다고 타박하는 사람도 있지만 이렇게 하면 얼마나 잘 마르는데. 각자 편한 방법을 쓰면 되는 것 아니겠어!

여기서 그림은 좀 팔리는 편이니?

•• 그저 그래. 어떤 때는 그림 몇 작품이 한꺼번에 팔리기도 하고 어떤 때는 몇 달 동안 한 점도 못 팔고.

예술가의 삶이 힘들긴 하구나.

•• 하지만 괜찮아. 우린 자유로우니까. 아침에 일어나야 한다고 깨우는 사람이 없으니까. 그래서 좋아.

지구를 구할 로봇을 제작하고 있는
파베스코.

앞으로 특별한 계획이 있니?

•• 계속 작업해야지. 나 혼자만의 커다란 작업실을 가지고 걱정
없이 작업할 수 있으면 좋겠어. 지금은 파리 시장이 이 건물
을 샀고 우리가 작업하는 데에 이의를 제기하지 않지만 어느
날 그가 우릴 쫓아내려고 작정하면 우린 여길 나갈 수밖에 없
거든. 그러면 우리는 또다시 새로운 건물을 점거하고 경찰서
에 불려 다녀야겠지. 그건 너무 힘든 일이야. 어쨌든 지금은
여기 있는 걸로 만족해. 그림을 그릴 수만 있으면 돼. 큰 돈을

벌거나 유명해지는 일엔 별로 관심이 없으니까.

파베스코는 로베르네 집 사람들 가운데 아주 심하게 열심히 작업하는 사람 중 하나다. 누구보다 일찍 나와서 눈코 뜰 새 없이 사랑스러운 주인공들을 탄생시킨다. 저렇게 정신없이 그림을 그리며 이곳저곳을 옮겨 다니다 보면 '여기가 어디더라? 파리인가? 암스테르담인가 아니 뉴욕인가?' 하고 헷갈릴 것 같기도 하다. 하지만 파베스코는 한 30분 정도 생각한 뒤 상관없다는 듯 부웅, 드라이어를 켜고 물감을 말릴 것이 분명하다.

파베스코는 그림을 그리며 중얼거린다.
"얘들아, 엄마는 너희가 자랑스럽다. 어서어서 지구의 불행을 만들어 내는 딱딱한 마음의 겨드랑이를 보드랍게 해 주렴. 호호."
이는 물론 나의 유쾌한 상상이다.

파베스코와 얘기를 마치고 브루노 방을 지나가다 보니 새 작품을 설치한다는 곳에 무엇인가 변화가 느껴진다. 그는 바닷가에 있는 방을 연상시키는 장소를 만들어 놓았다. 입구에는 커튼이 쳐져 있고 안으로 들어가면 정면에 붉은색 서랍장이 있다. 그 위에 푸른색 촛대 두 개와 구식 다이얼 전화기가 놓여 있다. 벽에는 낡은 사진과 줄무늬 구명 튜브가 걸려 있다. 바닥에는 모래까지 깔려 있어 영락없는 바닷가 풍경이다.
마침 브루노가 오래된 포도주병을 안고 들어온다.

브루노, 언제 이렇게 작업을 했니?
●●아직 끝난 건 아니야.

모두 네가 만든 거니?
●●거의.

바다소리가 들릴 것 같다. 바다가 보이는 창문이 있으면 더 좋을 텐데.
◦◦그건 네 마음에 달려 있어. 마음의 창으로 바다를 보렴.

브루노의 작업실로 빨간 외투를 입은 꼬마 아이가 들어오더니 브루노의 설치 작품 속으로 뛰어들어 신나게 놀기 시작한다. 그 모습 자체가 아름다운 작품이다. 꼬마에게 몇 살이냐고 물어봤더니 네 살 반이란다. 이름은 에밀리.

에밀리는 외투를 벗고 신발도 양말도 벗어 던지고 브루노의 작품 안에서 본격적으로 모래 장난을 시작한다. 브루노는 자신의 설치 작품이 살아 있는 예술품이 된 게 기분이 좋은지 코를 벌름거리며 만족스러운 얼굴로 아이를 바라본다.

에밀리의 엄마는 또 다른 관람객들에게 이곳의 특별함에 대해 이야기하며 아이들에게 꼭 보여 주고 싶은 곳이라는 칭찬을 아끼지 않는다. 그러는 동안 두 아이가 어른과 함께 들어온다. 아이들은 에밀리의 모습을 보더니 자신들도 모래 속으로 들어가겠다며 엄마를 조른다. 그런데 엄마는 '안 돼! 저긴 지지야.' 하고 아이들을 실망시킨다.

브루노 작품 속의 꼬마 에밀리.

브루노가 그림을 사람들에게 꺼내서 보여 주는 사이 나는 건너편 가게로 뛰어가 커피 한 잔을 사 들고 온다. 비가 계속 오면서 드디어 으스스한 파리 본연의 겨울 날씨가 시작된 것 같다. 에밀리가 엄마와 1층으로 내려오고 있다. 에밀리가 초흥분 상태로 브루노의 작품 안에서 놀다가 끝내 그곳에 오줌을 쌌다고 에밀리의 엄마가 내게 말한다. 브루노가 어떤 반응을 보였을까? 그는 아마 개의치 않았을 것이다. 오히려 행복을 느꼈을지도 모르지. 모든 사람이 자신의 작품을 최대한 즐기길 원하는 사람이니까. 하지만 냄새는 좀 나겠지 후후후.

파베스코, 동화를 읽던 시절의 마음으로
되돌려 주는 그림 요정들의 대모.

# *파스칼,
## 별을 관찰하고
## 빛의 색을 실험하는 테크노광

프랑스에서 태어나다.
좀처럼 파악하기 힘든 혼란스러운 인간성을 가지고 있다.
낮에는 5분 정도만 들으면 이성을 잃을 것 같은 소음(테크노)을
하루 종일 들으며 신이 나면 춤까지 추지만 그림을 그리다가 해가 지고 밤이 되면
고요한 철학가로 돌변해서 별의 색을 관찰한다.
그는 지독한 근시안이다.
그가 자신에 관해 알고 있는 것 대부분은 진실에서 아주 많이 빗나가 있기 때문이다.

파스칼은 오늘 대문 당번(로베르네 집 사람들은 돌아가며 일주
일에 한 번 두 시간씩 입구에서 방문객들을 맞는다)이라며 그곳
에서 대화의 장을 열자고 했다. 날씨가 쌀쌀하긴 했지만 테크노
음악이 왕왕 울리는 그의 작업실보다는 대문 앞이 나을 것 같아
서 나는 얼른 좋다고 했다. 그런데 막상 약속 장소에서 그를 만
나고 보니 생각처럼 그렇게 좋은 조건이 아니었다. 우선 비가
주룩주룩 오고 있었고, 그로 인해서 시내 교통이 뒤엉켜 소음이
심했고, 파스칼은 그 소음에 맞서기 위해 테크노 음악을 사려
깊게 대동하고 나타났기 때문이다. 나는 순간 울고 싶었지만 눈
물이 나오기 전에 얼른 입 근육을 가로로 힘껏 잡아당기며 "안
녕! 파스칼." 하고 인사를 했다.

너 내게 뭘 알고 싶니?
그렇게 말하니까 무섭다. 난 그냥 얘기를 하고 싶을 뿐이야.
그럼 내게 질문을 해 봐.
그런데 넌 왜 그렇게 무뚝뚝하니(언젠가 파스칼은 자신이 무뚝
뚝한 사람이라고 내게 말한 적이 있다)?
뭐라고? 음, 그건 내가 친절하지 않으니까. 하지만 그건 농담
이었는데. 사실은(자신이 입고 있는 점퍼에 그려진 곰을 가리
키며) 이 곰의 얼굴처럼 다정한 사람이지. 다음 질문은?

조금 전에 어디에 있었니? 난 두 시간이나 널 기다렸어. 시간
약속을 한 건 아니지만.
그건 말이야, (어이없는 내 질문에 약간 당황하면서) 내가 옷
에 그림을 그리거든. 그걸 팔러 다녀왔어. (점점 더 고분고분

해지며) 바스티유에 가서 돈을 좀 벌어 왔지.

파스칼(나는 그의 이름을 의미심장하게 부른다).
"응, 너 왜 그러니?

너의 인생 얘기를 좀 해 봐, 예술가가 되기까지.
"나는 그다지 젊지 않아. 나이는 마흔, 그림을 그린 지는 20년
쯤 되었어. 현재는 두 가지 일을 하고 있어. 그러니까 난 화가
지만 패션 디자이너 일도 하고 있는 셈이지. 하지만 패션 디
자이너가 내 직업이라고 말하고 싶진 않아. 그리고 난 예술가
가 아니라 그냥 화가야.

어떻게 그림을 그리게 됐는데?
"그림은 아주 어렸을 때부터 그렸어. 대학에서는 수학과 물리
를 석사 과정까지 공부했어. 정말 그 두 가지를 지치도록 공
부했지. 그런데 어느날 문득 너무 지겹다는 생각이 들었어.
그래서 새로운 걸 찾기 위해 전시회에도 가고, 영화도 보고,
철학이나 문학에 관한 책을 읽기 시작했어. 그중에서 특히 그
림에 빠지게 되었어.
당장 그림을 그리기 시작했다. 물론 혼자서 여러 가지 잡다한
일을 해 가면서 그렸지. 그렇게 5년 동안 그림에만 몰두하다
가 에콜 보자르의 입학 시험을 봤어. 꽤 좋은 성적으로 합격
했지만 다니지는 않았어. 막상 다니려고 하니까 학교 교육이
지겨워지는 거야. 내가 원하는 건 명문 학교에 입학하는 게
아니라 어느 정도의 수준에 오른 화가가 되는 거였으니까. 그
래서 혼자서 그림을 계속 그렸어. 초상화, 정물화, 풍경화 등
다양한 그림을 그렸지.
그런데 그런 종류의 그림을 그리는 것에도 싫증이 났어. 그
다음으로는 점과 선으로 구성된, 추상화에 가까운 그림을 그
렸어. 그 즈음에 첫번째 개인전을 어떤 아파트에서 열었어.
그림이 서너 점 팔리기도 했지.

자신이 제작한 옷을 입은 파스칼.

그 후에는 초현실적인 그림을 그리는 데 전념했어. 키리코와

같은 화가의 작품을 모델로 말이야. 한 1년쯤 지나자 그런 연구는 충분하다는 생각이 들었어. 이젠 나도 그림을 그리는 법을 알고 있다는 생각이 들었거든. 이제는 나만의 스타일로 새 출발하자고 다짐했지.

점이나 선으로 이루어진 그림으로 내 자신을 소개한다면 나는 추상 화가야. 하지만 가끔 구상화를 그릴 때도 있고 퍼포먼스를 하기도 해.

네게 많은 영향을 준 화가가 있다면?

*아르퉁이라는 화가야. 그에게서 색상이나 빛에 대해 영향을 많이 받았어. 언젠가 파리에서 그의 전시회가 있었는데 그날은 햇빛이 눈부신 아주 아름다운 날이었지. 그의 전시회를 보고 밖에 나왔을 때도 여전히 날씨가 좋았어. 나는 그날, 그림에서 빛의 존재가 어떤 의미인지 깨달았어.

그리고 또 한 사람은 폴록이야. 자유로운 그의 그림은 내게 뭔가를 깨닫게 해 줬어. 특히 그의 말기 작품에 영향을 많이 받았어. 그래서 한동안 그의 스타일과 비슷한 그림을 많이 그렸지. 그러다가 이건 복사일 뿐이지 내 자신의 그림이 아니란 생각이 들었어. 한 마디로 그 시기는 해 뜰 무렵의 회색 빛 새벽이었지.

그러면 지금 네 그림의 주제는 뭔데?

*그 동안 빛의 구성 비율을 연구하면서 빛을 해체해 봤어. 색상과 형태를 단순화하고 색의 떨림이나 전체적인 빛의 리듬을 고려해서 말이지.

현재의 내 그림은 어딘가에서 또는 누군가에게 영향받은 게 아니라 내 스스로 영감을 받은 독자적인 주제를 표현하고 있어. 나만의 아이디어에서 출발한 작업이니까. 일단은 이렇게 작업을 계속할 예정이야.

어떻게 옷에 그림을 그리게 되었어?

*형태감 있는 작업을 해 보고 싶다는 생각이 들었거든. 색상과

**점과 선으로 이루어진 파스칼의 작품들.**

126

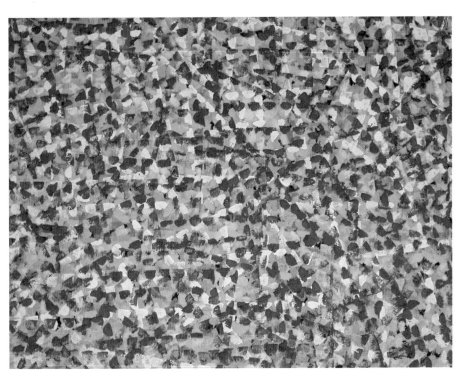

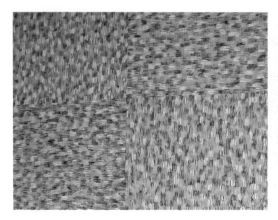

별의 색을 재구성한 파스칼의 작품들.

형태를 단순화한 내 그림을 인간이란 볼륨감 있는 입체에 입혀 보고 싶었어. 옷에는 8가지의 색을 사용해서 아주 컬러풀하게 그리지만 일정한 형태는 없어. 극단적으로 단순화해서 점과 선으로만 나타내니까.

단순화 작업에 대해 좀더 설명해 줄래?
보통 그런 질문들을 많이 하는데 나는 그림이 근본적으로 단순한 것이라고 생각해. 또는 단순하게 나타내는 것, 단순해 보이는 것이라고. 단순화하는 건 어려운 일이지만 나는 최소화한 다양한 선들이 최대한의 것을 나타낸다는 생각으로 언제나 작업을 해.
나는 별이 떨어지며 나타내는 움직임과 같은 떨림을 그리고 싶어. 그림은 그 자체로 생명을 가지고 있잖아. 단순하고 생동감 있는 그림을 그리는 게 내 목표야. 또 방법과 원리를 설명해 주면 누구나 쉽게 이해하고, 누구나 그릴 수 있을 것 같은 그림을 그리고 싶어.

그게 네 철학이니?
응, 내 철학의 일부라고 할 수 있지. 버스터 키튼이라는 사람이 있어. 영화 배우이자 감독이지. 그의 영화는 아주 단순해. 사람을 그저 웃기거나 울리지. 나는 그가 아주 똑똑한 사람이라고 생각해. 왜냐하면 간단하고 단순하게 만드는 일은 쉽지

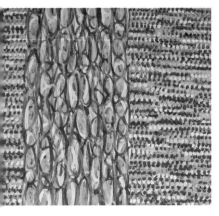

않기 때문이야.

내 목적도 마찬가지야. 접근하기 쉽고 이해하기 쉽도록 간다하게 나타내는 거야. 단순하지만 그 안에 인생과 경험이 모두 들어 있는 그림을 그리는 거야.

화가에게 가장 중요한 게 뭐라고 생각하니?

•• 나는 화가의 손보다 화가의 시선이 중요하다고 생각해. 그러니까 그림을 그리는 기술보다는 대상을 보고 무엇을 느끼는지가 더 중요하다는 거지. 이는 나처럼 정식으로 미술 교육을 받지 않은 사람이 화가가 될 수 있는 이유라고도 할 수 있어. 내 그림의 주제인 빛을 연구하거나 별을 관찰하는 데 내가 공부한 수학과 물리가 아무 소용이 없다고 생각하지 않아. 물론 내가 터득한 이 모든 것들이 예술인지는 모르겠어. 내 그림이 예술적인지 아닌지도 모르겠고, 내가 재능이 있는지 없는지조차 알 수 없어. 하지만 나는 화가란 직업을 선택했고 계속 그림을 그릴 거야.

창조력이란 게 뭐라고 생각해?

•• 글쎄 들뢰즈의 말을 인용하면 예술가들은 '철학적이고 미학적인 저항'이란 콘셉을 창조한다고 해. 창조력이란 사회의 흐름이나 구조 또는 교육 같은 것들의 훨씬 위에 있는, 때로는 그런 것들에 반대하는 것이라고 할 수 있어. 워홀이 대량 생

파스칼의 아틀리에.

산의 문제점에 착안한 점도 아주 새로운 콘셉이었어.
먼저 사회를 분석하고 그것에 저항하는 콘셉을 만드는 것이
바로 창조력인 것 같아.

이곳을 아틀리에로 정한 특별한 이유가 있어?
⁕⁕많은 이유가 있지. 나는 보통 화가들과는 조금 다른 인생을
살았어. 한동안 건강에도 문제가 있었지. 여기서 작업을 하기
로 한 이유는 우선 분위기가 너무 마음에 들었기 때문이야.
이곳에서라면 새로운 마음으로 작업을 할 수 있겠다는 생각
이 들었어.
또 다른 이유는 아주 소비적인 파리의 중심에서 그림을 그리
는 것 자체가 재미있는 아이디어라고 생각했기 때문이야. 나
는 그 당시 왜 현대 추상 미술은 사치스러운 분위기로 흘러갈
까, 그리고 왜 서로 공유하고 즐길 수 없는 것일까를 생각하
고 있었거든.

오랫동안 파리에 살았니?
●● 그렇다고 할 수 있어.

파리의 좋은 점은 뭘까?
●● 한 나라의 수도에 살면 문화 생활을 풍부하게 누릴 수 있다는
장점이 있지. 난 박물관, 도서관, 영화관, 미술관 없이 살 수
없는 사람이니까. 그래서 공기 오염이나 소음까지 감수하며
살고 있어.

어떤 곳을 특히 좋아하는데?
●● 시내 한복판.

그럼 바로 여기네.
●● 응, 그리고 특히 퐁뇌프 다리를 좋아해. 나와 오래 전에 작업
했던 친구 말에 의하면 퐁뇌프는 파리에서 처음으로 무료로
통행할 수 있는 다리였대. 미학적으로도 아름답고 로맨틱한
다리야. 애인과 포옹하기에도 좋고.

파스칼, 너 테크노광이지?
●● 아니, 난 재즈를 좋아해. 클래식, 록, 샹송도 들어. 이렇게 비
오는 날은 음악보다는 저 소음이 더 자연스럽게 어울리지. 하
지만 소음이 싫다면 록 음악을 들을 수도 있겠지.

앞으로의 계획은?
●● 오로지 계속 그리는 것. 어떤 일이 있어도 그림 그리는 걸 멈
추지 않을 거야. 옷에도, 캔버스에도.

　　파스칼의 말을 들으며 나는 인터뷰를 위해 켜 두었던 녹음
기를 끈다. 파스칼이 비 오는 날과 어울리는 음악이라며 권해
준 거리의 소음을 견딜 수 없었기 때문이다. 그리고 파스칼이
틀어 놓은 테크노 음악 역시 나를 쇠약하게 만드는 데 한몫 하
고 있다. 파스칼은 인터뷰 내내 빗소리와 소음, 테크노 음악 중

간중간 속삭이듯 작은 목소리로 말하더니 내가 녹음기 스위치를 끄자 크고 또렷한 목소리로 얘기를 계속한다.

그러다가 그는 좋아하지도 않는다는 테크노 리듬에 맞춰 춤을 추기 시작한다. 그는 춤을 추며 계속 말한다. "페르난도 페소아라는 포르투갈 시인을 아니?" 그는 친절하게도 내 수첩에 시인의 이름을 적어 주면서 그의 시를 읽어 보라고 한다. 하지만 시인이 여러 가지 필명을 사용하므로 주의 깊게 찾아 봐야 한다고 덧붙인다. 자신도 때때로 '숨어 있는 사람'과 같은 가명을 쓴다며.

나는 수첩을 받아 가방에 넣고 파스칼에게 말한다. "파스칼, 넌 아니라고 하지만 내가 보기에 너는 테크노광이고 무뚝뚝한 사람이야. 부정하지 마. 그 증거를 대 볼까? 난 네 작업실에 수없이 여러 번 갔어. 네 그림에 대해 너와 이야기해 보고 싶었거든. 그런데 너는 말 한 마디 못 붙이게 항상 그림에 코를 박은 채 인상을 쓰고 있었지. 아주 무서운 얼굴을 하고. 게다가 언제나 테크노 음악이 귀청을 찢을 것 같이 울리고 있어서 너에게 무슨 말을 해도 내 목소리는 들리지도 않았어. 네 작업실에서 너를 부르려면 파스칼(나는 그의 귀에 대고 꽥 소리를 지른다.) 하고 고함을 질러야 하니 나 같은 지성인은 어떻게 너와 대화를 할 수 있겠니?"
그러자 파스칼은 히히히 웃는다. 나는 그 웃음이 어떤 의미인지 알 수 없다.

며칠 후였다. 브루노의 작업실에서 파스칼과 마주쳤는데 그가 내게 뭔가를 들려 주고 싶다고 했다. 설마 난 새로 나온 테크노 음악은 아닌가 해서 물어 봤더니 그런 게 아니라고 한다. 그의 작업실에는 고양이 울음소리 같기도 하고 무어라 설명할 수 없는 소리가 들릴 듯 말 듯 희미하게 깔려 있다. 파스칼의 말에 의하면 주피터 성 근처의 우주 소음을 녹음한 것이라고 한다. 지구상의 작은 아틀리에에서 이렇게 우주의 소음을 들을 수 있

다니. 과학이 성스럽게 느껴지는 순간이다.

별을 관찰하는 화가라서 취미도 남다르다는 생각을 하고 있
는데 파스칼이 자기 작품이 마음에 드냐고 다짜고짜 내게 묻는
다. 나는 비 오던 그날 대문 앞에서 함께 심도 있는 대화를 나눈
뒤 네 그림이 새롭게 보이는 중이라고 하자 아틀리에에 걸려 있
는 그림들을 가리키며 어떤 게 제일 마음에 드냐고 묻는다. 내
가 한참 동안 뚫어지게 그림들을 보고 어떤 그림을 가리키자 그
는 대뜸 선물로 줄 테니까 가지라고 한다. '오, 이런 감동의 순
간이, 이런 기쁨의 순간이…….' 나는 잠깐 할 말을 잃는다. 파
스칼은 그런 나를 보고 씩 웃는다.

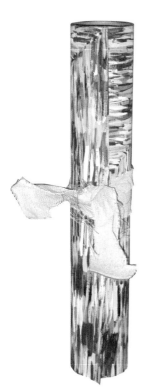

파스칼이 선물로 준 그림.

우주의 소음을 들려 주는 파스칼.

파스칼, 그림과 소음 뒤에 수줍게 숨어 있는 사람,
별을 관찰하고 빛의 색을 끊임없이 실험하는 사람,
그리고 테크노광!

# *베르나르,
## 어리석은 어른들을 깜짝 놀래키는
## 쉰여섯 살의 어린아이

프랑스에서 태어나다.
예술은 원하는 사람들 모두가 격의 없이 참여해서
즐거움을 맛보는 것이라는 철학을 가지고 있다.
어린 시절 공부가 가장 싫었고 젊은 시절에는 바보짓만 했다는 그는
지금의 정직한 자신의 모습이 가장 마음에 든다고 한다.
베르나르는 따뜻한 목소리로 말한다.
"네가 하고 싶은 일을 계속하렴. 그리고 너는 언제나 다른 사람들과 다른
특별한 존재이고 최고의 자리를 차지할 수 있다는 사실을 항상 기억하렴."

베르나르는 로베르네 집 사람들 가운데 가장 어른이다. 어른과의 약속인지라 아침에 일찍 일어났건만 전날 인터뷰한 내용을 정리하고 사진을 점검하고 이런저런 준비를 하는 사이 시간은 쏜살같이 흘러갔다. 정신없이 허둥지둥 뛰어갔지만 나는 베르나르와의 약속 시간에 10분이나 늦고 말았다. 난 우당탕 단숨에 5층까지 한달음에 올라가서 그의 작업실로 뛰어 들어갔다.

죄송해요, 늦었어요.
＂어서 와, 기다리고 있었어.

수첩과 녹음기를 가방에서 꺼내는데 베르나르가 곧 돌아오겠다며 방을 나갔다 온다. 그는 내게 책 한 권을 보여 준다. 불어로 번역된, 이강백씨의 희곡 선집이다.

한국 작가의 책이네요?
＂이강백씨가 번역가를 통해서, 자신의 희곡을 내가 이곳에서 연출해 보면 어떻겠냐고 제의해 왔어. 이강백씨의 작품에 대해 알고 있니?

전혀 몰라요. 하지만 이름은 많이 들어 봤어요. 그분의 작품이 마음에 드세요?
＂아주 마음에 들어. 매우 좋은 글이야. 번역도 좋고. 베케트의 작품이 연상되는 부분도 있어. 그래서 진지하게 그의 작품을 읽고 검토한 다음 어떻게 연출해서 연극으로 올릴지 결정하려고 해.

세기말을 표현한 베르나르의 작품들.

이강백씨를 만난 적이 있으세요?
•• 아니, 그의 번역가가 건네 준 연극 대본을 가지고 있을 뿐이야. 하지만 언젠가 만나게 되리라 믿어.

어떤 연극을 좋아하세요?
•• 셰익스피어의 작품도 좋아하고 베케트의 작품도 좋아해. 하지만 알려지지 않은 작가들의 희곡도 좋아해. 그런 작품을 연출하는 일은 너무나 즐거운 일이지. 이강백씨도 프랑스에는 전혀 알려져 있지 않지만 그의 글이 아주 마음에 들어.

연극에 많이 참여해 보셨어요?
•• 배우도 해 봤고 무대 미술을 맡기도 했어. 주로 아마추어들과 파리 외곽에서 연극을 많이 했어. 연극과 함께 산 때였지. 정말 즐거웠어.
연극은 프로들에 의해 그 명맥이 이어지고 있지만, 아마추어들도 모여서 작업을 하며 즐길 수 있어. 연기를 잘하느냐 못

138

하느냐는 별로 중요하지 않아. 우리 모두 연기를 할 수 있고 함께 즐거움을 나눌 수 있다는 점이 가장 중요하거든. 아참, 가스파르와는 얘기 잘했니?

네, 하지만 그는 너무 바빠요. 언제나. 사진도 간신히 한 장밖에 못 찍었는 걸요. 얘기도 30분밖에 못 했어요.

•• 가스파르는 여기서 맡고 있는 일이 많아서 항상 바쁘지. 내게 궁금한 게 있으면 더 물어 보렴.

어떤 주제로 그림을 그리세요?

•• 이 그림은 세기말의 징후들을 나타내고 있고 다른 그림들은 내가 수년 동안 발전시켜 온 주제를 드러내고 있어.

언젠가 낭트라는 도시를 산책하다가 항구에 다달았어. 항구는 재건축을 위해 일부가 파괴된 상태로 있었어. 시멘트 조각과 철근 조각이 사방에 널려 있고, 커다란 기계들이 항구를 부수는 데 여념이 없더군. 그 광경이 인상적이었어. 동시에 미학적으로도 보였어. 파괴가 아름다움으로 느껴졌거든. 하지만 다른 한편으론 그곳에서 오랫동안 일한 사람들도 많을 텐데, 어느날 저렇게 무지막지한 기계가 그들의 일터를 부순다고 생각하니 매우 충격적이었어.

그런 생각을 하며 파리에 돌아왔고 얼마 후 다시 그곳으로 가서 마구 사진을 찍어 댔어. 그리고 그때 느꼈던 감정들을 내 그림에 나타내기 시작했지.

그림들에서 슬픔이 느껴지네요.

•• 그래, 그때 내가 느낀 가장 큰 감정도 슬픔이었으니까. 하지만 슬픔만은 아니야. 새로운 복원을 위한 단계라고 생각할 수도 있으니까. 부서진 커다란 덩어리들이 언젠가 어딘가에 다시 사용될지도 모른다는 희망을 가질 수 있잖아. 색상은 좀 슬플지 모르지만 그건 과거에 대한 향수를 나타내고 있을 뿐이야.

어린 시절은 어떠셨어요?

ᐧᐧ 나는 한 마디로 참아 주기 힘든 아이였지. 초등학교, 중학교, 고등학교 그리고 대학 때까지 일관성 있게 나쁜 학생이었어. 하지만 미술은 언제나 일등이었어. 다른 과목들은 모두 꼴찌 였지만 미술 수업은 절대 빠지지 않았고 아주 열심히 했어. 그래서 유일하게 좋은 성적을 받았지.

'나쁜 학생' 시절부터 예술가를 꿈꾼 거네요. 혹시 예술가가 되는 데 영향을 준 분이 있으세요?

ᐧᐧ 내 경우에는 세 사람이 영향을 주었어. 첫번째는 바로 우리 어머니야. 어머니가 가장 먼저 나를 예술에 눈뜨게 해 주셨 어. 어머니는 음악을 들려 주고 문학과 그림을 접하게 해 주 셨지. 그렇지만 그녀는 가족 중 누군가가 예술가가 되는 건 원하지 않으셨어. 물론 당신도 모르시는 사이에 나를 예술가 로 키우신 셈이지만.
두 번째는 초등학교 때 미술 선생님이야. 그분은 나에게 그림 을 그리고 싶다는 욕구를 심어 준 분이지. 또 공부를 열심히 해야겠다는 생각이 들도록 이끌어 주신 분이기도 하고. 나는 2년 동안 그 선생님과 대화를 나누며 정말 열심히 공부했어. 우리 반에는 나 말고도 문제 학생이 서너 명은 더 있었는데, 선생님은 늘 많은 얘기를 나누며 우리 스스로 공부를 해야겠 다는 생각을 깨우치도록 도와 주셨어. 그분은 우리에게 미술 관이나 예술가들에 관한 숙제를 내 주시곤 했지.
세 번째는 내가 모델을 했던 어느 화가 분이야. 그분은 내게 예술적 영감을 주었어. 그분과 작업을 하는 동안 여러 가지 작업 방법을 배웠고 입체적인 시각으로 작품을 분석하는 법 도 알게 되었지.
그 밖에 유명한 여러 화가들의 영향을 받았어. 그림을 그리다 보면 좋아하는 화가 몇 명은 있기 마련이니까.

대학에서는 뭘 공부하셨는데요?

베르나르의 아틀리에.    ᐧᐧ 법학.

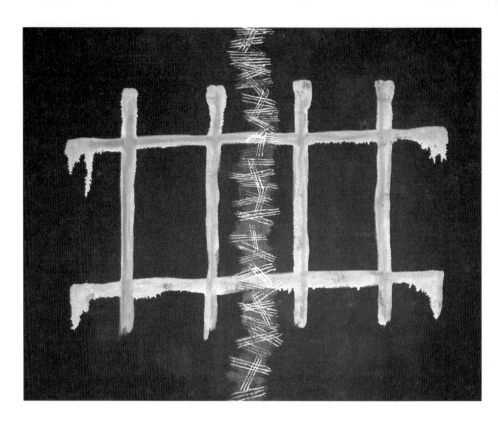

**베르나르와 파스칼의 공동 작품.**

그거야말로 예술과는 멀리 떨어져 있는 분야 같은데요. 법학을 별로 좋아하지 않으셨나요?

●● 전혀, 도무지 흥미를 가질 수 없었어.

그런데 왜 법학을 선택하셨어요?

●● 사실 문학을 공부해 보고 싶었지만 나는 대학 입학 자격인 바칼로레아가 없었어. 법과 대학에는 바칼로레아가 없어도 당시 내가 일하고 있던 분야의 성과를 인정받아 입학할 수 있었거든. 그래서 선택한 거지.

그러다가 군대에 다녀온 후 예술가의 길을 가기로 결심했어. 그때가 스물두 살쯤이었어. 하지만 그 전에도 그림은 계속 그리고 있었지. 미술 대학을 다니고 있는 친구들과 전시회를 열기도 하고 연극에도 참여했어.

파스칼의 작업실에서 이야기하고
있는 두 사람.

앞으로는 어떤 작업을 할 계획이세요?
"" 그림 작업에서는 '살아 있는 빛'을 나타내 보려고 해.

좀더 자세히 말씀해 주시겠어요?
"" 그러니까 낮의 아주 밝고 센 빛에서 시작해서 점점 여러 가지
빛을 표현하고, 어느 지점에서 빛과 풍경이 만나도록 하는 거
야. 이건 그림에 관한 계획이고 몸으로 하는 작업도 계획중이
야. 아마 퍼포먼스가 주가 되겠지. 나는 일정한 공간에서 몸
으로 표현하는 여러 가지 작업에 관심이 많아.

퍼포먼스를 통해 어떤 것을 나타내고 싶으세요?
"" 시끄러운 사회 속에서도 우리의 몸과 영혼이 살아 있다는 걸
나타내려고 해. 이렇게 심한 갖가지 소음과 공해에 대항해서
우리의 몸은 자연 그 자체이며, 아름다운 것이라는 사실을 알

리고 싶거든.

퍼포먼스는 그림과는 달리 관객을 공연 안으로 끌어들여 직접 참여시키는 매력이 있지. 관객과 함께 생각하고 같이 공연하는 장을 만드는 게 그것의 가장 큰 취지야.

당신에게 예술이란 무엇을 의미하나요?

●● 살아 있는 모든 것. 아니타는 콜라주를 통해, 칼렉스는 조각을 통해 살아 있는 모든 것을 예술로 나타내고 있어. 그러니까 예술은 생명을 주는 것이라고도 할 수 있어. 또 무엇이든 좋은 일을 해 나가는 건 모두 예술이라고 생각해. 그저 그림을 그리고 퍼포먼스를 하는 행위 자체가 예술이 아니고 자신과의 합일 하에 좋은 목적을 가지고 계속하는 일이 바로 예술인 거야.

이때 파스칼이, 눈과 입술을 푸른색으로 화장한 매력적인 금발 머리 여자와 함께 들어온다. 베르나르와 다음 퍼포먼스에 대해 의논할 게 있어 들렀단다.

베르나르에 의하면 금발의 매력녀는 네 살때부터 모델 일을 시작했고 지금은 영화 감독 지망생으로, 베르나르가 안무를 맡은 패션쇼에서 함께 일한 적도 있단다. 그 쇼에서 남자들은 여자 옷을, 여자들은 남자 옷을 입고 색다른 패션을 선보였다고 한다. 그들이 떠나자 베르나르와 나는 다시 얘기를 계속한다.

당신도 기존 미술관에 대해 비판적인 의견을 가지고 계시는지 궁금한데요.

난 루브르 박물관은 아주 좋아 하지만 퐁피두 미술관은 별로 좋아하지 않아. 대표적인 현대 미술관이라지만 이미 지나간 것들을 전시하고 있을 뿐이거든.

우리에게 필요한 건 살아 있는 현대 미술관이야. 현재 살아 있는 작가의 작품을 전시하고, 꼭 예술가의 작품이 아니더라도 전시를 하고 싶어하는 사람이라면 누구나 전시할 수 있는 곳 말이야.

지금은 없어졌지만 이곳 1층에 공연장이 있었어. 안전상의 이유로 문을 닫으라고 해서 더 이상 공연을 할 수 없게 된 곳인데, 거기서 우리는 지난 2년 동안 많은 공연을 했어. 많은 사람들이 거기 와서 공연을 보았는데, 그곳은 젊은 배우들과 배우 지망생들로 정말 열기가 가득했어.

그때 내가 첫 공연을 연출했는데, 함께 공연할 배우를 선발할 때 가장 중요한 요소로 본 건 그들의 능력보다도 열의였어. 그들은 나를 찾아와서 공연을 하고 싶지만 아무도 기회를 주지 않는다며 아쉬워했어.

물론 능력 있는 배우를 기용해서 감동적인 공연을 하는 건 중요한 일이라고 생각해. 재능 있는 배우만 모아 적절한 배역을 지정해서 공연을 하면 흥행에도 성공할 수 있지.

하지만 사회 전반적으로 문화 수준을 높이려면 공연에 참여하고자 하는 사람들 모두에게 기회를 줘야 한다고 생각해. 그런 의미에서 완전히 무명배우만 모아서 공연을 하는 것도 아

베르나르의 작품들.

주 중요하지.

예를 들어 누군가가 무대에서 춤을 추고 싶다며 찾아오면 춤을 추기 전에는 무엇을 했는지 그리고 어떤 춤을 추고 싶은지 물어 보지. 그리고 나서 서너 달 동안 연습을 시키며 공연 준비를 하는 거야.

우리는 그런 식으로 공연을 해 왔어. 공연장이 문을 닫게 되서 너무 아쉬울 뿐이야. 나는 그때 함께 작업했던 사람들의 열의와 그들의 잠재력에 큰 감동을 받았어.

특히 함께 작업했던, 열여덟 살에서 스물두 살에 이르는 젊은 퍼포먼스 지망생들의 잠재력은 놀랄 정도였지. 또 그들의 일하는 태도도 너무나 진지했어. 그들을 받아 주는 곳이 있다면 눈부신 결과를 볼 수 있을 텐데 마땅한 장소가 없어서 길거리에서 재능이 썩는 걸 봐야 하다니…… 슬픈 일이지.

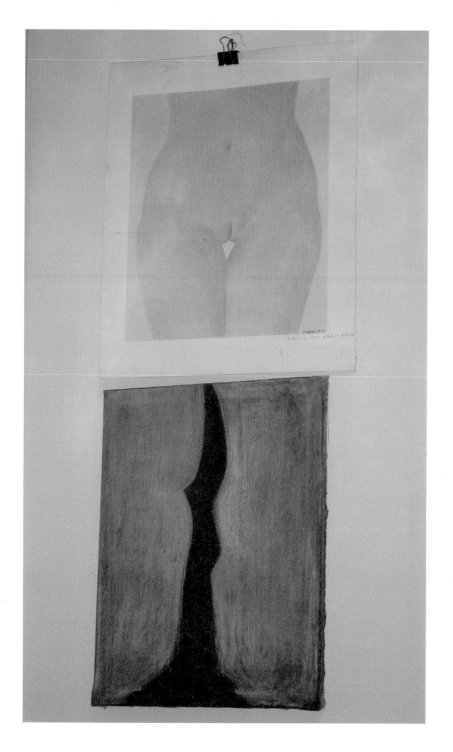

148

베르나르의 그림 도구들.

그런 젊은이들에게 용기 어린 한 마디 해 주세요.

＊＊문제 없어, 걱정하지 마. 직업을 가지고 있는 많은 사람들도 실업자들처럼 방황하고 있어. 그러니까 네가 하고 싶은 일을 계속하렴. 그리고 너는 언제나 다른 사람들과 다른 특별한 존재이고, 최고의 자리를 차지할 수 있다는 사실을 항상 기억하렴.

어떤 일이든 계속하는 게 가장 중요할 것 같아요.

＊＊물론이야. 운동 선수가 열심히, 끊임없이 연습하는 것과 같아. 화가라고 하루 종일 그림만 그리는 건 아니야. 상상을 하고, 주위 사람들과 토론을 하고, 또 사랑을 하는 모든 것이 작품의 일부가 되지.

인생에서 제일 중요한 건 뭐라고 생각하세요?

＊＊글쎄…… 지금 내게 가장 큰 기쁨인 현재의 내 모습이라고 말할 수 있어. 물론 지금까지 바보짓을 아주 많이 했지만.

작업중인 베르나르.

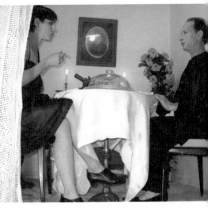

그리고 내 아들과 가족이라고 할까? 가족이라고 해서 단지 혈연 관계만을 말하는 건 아니야. 피를 나누지 않았지만 이곳에서 작업하고 있는 식구들도, 또 연극을 함께하는 사람들도 가족이니까.

인터뷰 말미에 베르나르가 전화번호를 적어 주는 동안 나는 그의 나이를 물어 본다. 수줍은 표정을 지으며 나이를 세어 보지 않은 지 너무 오래 돼서 잘 모르겠다고 한다. 비밀이라서 말로 할 수 없다며 전화번호 옆에 자신의 나이를 적어 준다. 전화번호 옆에 '56'이란 숫자가 아주 조그맣게 적혀 있다.

며칠 후 베르나르가 한국의 음악에 관해 물어 보기에 가지고 있던 황병기의 가야금 CD 몇 장을 빌려 주었다. 그 후 층계에서 마주치자 베르나르는 연출자와 함께 음악을 들어 보았는데 그 중에서도 "미궁"이 아주 마음에 든다면서 다음 공연에 쓰면 좋겠다고 한다.

로베르네 집에서는 매주 토요일마다 베르나르를 주축으로 퍼포먼스 공연이 열린다. 원하는 사람은 누구나 공연에 참가할 수 있다. 지난 주 토요일이었다. 보통 때는 자다 일어난 차림으로 야한 농담을 일삼는 브루노가, 퍼포먼스를 위해 엄숙한 정장 차림으로 나타났다. 진지한 그의 표정에 눌려 오늘이 네 결혼식이냐고 농담을 걸려던 나는 얼른 입을 다물고 말았다. 얼마 후 브루노, 베르나르 그리고 셀린이 중심이 되어 공연이 시작됐지만 관객들이 워낙 많아서 키가 작은 나는 배우들의 모습조차 보기 어려웠다. 나는 발뒤꿈치를 한껏 들고, 앞이 뾰족한 구두가 잘 어울리는 베르나르를 바라보다가 구경꾼들에게 밀려서 할 수 없이 공연장에서 나와야만 했다.

베르나르. 어리석은 어른들을 깜짝 놀래키는 쉰여섯 살의 어린아이.

# *카이아,
## 블루 마린을 사랑하는
## 감성적인 철학도

에스토니아에서 태어나다.
화가이자 철학도인 카이아가 설명하면 세상 어떤 복잡한 문제도 간단하고 알기 쉽게 정리된다.
방문객들이 그림에 관해 묻거나 누군가의 작업실 위치를 물어 볼 때도
그녀의 대답을 듣고 있으면 어쩌면 저렇게 정확하고 간단하게 답을 해 줄 수 있을까 감탄하지 않을 수 없다.
철학책들이 그림으로 되어 있다면 정말 재미있고 이해하기도 쉬울 것 같다는 아이디어를 준 장본인.
카이아가 철학 박사 논문을 그림으로 그려서 제출하면
교수님들이 어떤 표정을 지을지 궁금하다.

약속 시간에 맞춰 작업실로 올라갔더니 카이아는 책상에서 뭔가를 쓰고 있다. 내가 인사를 건네자 카이아는 활짝 웃는다. 그녀는 전형적인 북구의 미인으로, 반짝이는 금발이 눈부시다. 카이아는 몇 년 전 에스토니아와 파리에서 기자로 일한 경력도 있다. 전직 기자님에게 질문을 하려니까 떨린다고 하자 카이아는 지금은 아니니까 마음을 푹 놓으라고 한다.

파리에서 전업 화가로 살고 있는 거니?
•• 그림을 그리려고 파리에 온 것만은 아니야. 철학을 좀더 공부하려고 파리에 왔어. 지금은 초기박사과정DEA을 마치고 박사논문을 쓰고 있는 중이야.

그러면 그림은 어떻게 그리게 됐는데?
•• 그냥 어릴 때부터 그렸어. 엄마가 화가여서 자연스럽게 그림을 시작하게 된 것 같아. 이 세상에는 말이나 글로 표현할 수 없는 것들이 많아. 그런데 말로 나타낼 수 없는 걸 그림으로는 시원하게 나타낼 수 있지.

그럼 어머니가, 네가 화가가 되도록 결정적인 영향을 주신 것이구나.
•• 엄마 덕분에 그림을 그리기 시작했지만 그림에 영향을 받은 건 없어. 우리는 그리는 내용이나 방법도 아주 다르거든.

네게 철학과 그림은 어떤 것이니?
•• 철학과 그림은 내게 똑같아. 두 가지 모두 내 생각을 표현하

카이아의 아틀리에.

기 위한 수단이니까.

항상 네 작업실에는 관람객들이 많더라. 네 그림을 좋아하는 사
람들이 특히 많은가 봐.
** 그런 의례적인 칭찬을 다 받아들였다면 난 지금쯤 천하의 뚱
보가 되어 있을 거야.

오늘만 해도 네 그림에 관해서 묻는 사람들이 많잖아. 네 그림
을 갖고 싶어하는 사람들도 많은 것 같아.
** 지금은 그림을 팔아서 살고 있어. 얼마 되지 않지만 그럭저럭
살아 가고 있지.

내년에 리스본에 간다며?
** 파리에는 벌써 5년이나 있었어. 그랬더니 싫증이 나려고 해.
그래서 좀 옮겨 보려고.

그런데 왜 리스본이니?

** 남자 친구가 이번에 수학박사학위를 마쳤는데 리스본 대학에 자리가 나서 그 친구를 따라가는 거야. 1년 동안 있으려고.

공부를 마치면 에스토니아로 돌아갈 거니?

** 아니, 거긴 내가 잘 아는 곳이라서 새로운 느낌이 없어. 지금 으로선 굳이 돌아가야 할 이유도 없고.

그럼 파리에 계속 있을 생각이니?

** 아니야, 아직 결정하진 않았지만 새로운 곳에 가 보려고 해.

로베르네 집 사람들은 대부분 대학 교육이 예술에 꼭 도움이 되 는 건 아니다, 또는 전혀 필요없다고 하는데 너는 어떻게 생각 하니?

** 나는 그 반대편에 속하는 사람이야. 내 경우 대학에서 그림을 배우지는 않았지만 대학에서 배운 내용을 그림으로 표현하고

있어. 난 대학에서 받은 학위로 교수가 되거나 그것을 다른
데 사용할 마음은 없어. 철학을 공부하고 있지만 난 화가로
만족하거든. 하지만 대학에서 많은 것들을 공부하고 깊이 생
각하는 일들 역시 내 인생의 중요한 부분으로, 모두 내 그림
에 들어 있어. 지나간 일과 미래 그리고 현재를 구조적으로
생각하는 방법도 대학에서 배웠다고 할 수 있어.

미술 대학에 대해서는 어떤 생각을 가지고 있는데?
** 미술 대학도 역시 필요하다고 생각해. 미술에 대한 전반적인
사항을 배우기 좋은 곳이거든. 그 과정이 색이나 테크닉을 쉽
게 습득하고 발전시킬 수 있게 도와 줄 수 있다고 생각해. 난
교육이 절대적으로 중요하다고 생각하는 사람 중 하나야.

네 그림의 주제는 어떤 건지 설명해 줄래?
** 뭐, 그냥 내 생각과 감정을 표현한 거야. 색은 그 당시 느낌의
강도를 표현하고 형태는 굴곡을 나타내지.

네 그림은 기하학적이고 수학적이란 느낌이 들어.
** 맞아, 나는 그런 방법으로 내 생각을 표현하는 걸 좋아해.

저기 가운데 그림을 처음 봤을 때 벡터가 떠올랐어.
** 그렇게 볼 수도 있어. 벡터는 어떤 점에서 출발해서 연장성을
가지고 계속 뻗어 가지. 그리고 그 사이의 공간은 닫혀 있지
않고 항상 열려 있으니까 그렇게 계속 뻗어 나가면 옆 그림과
도 만날 수 있겠지.

너도 파란색을 좋아하지?
** 응, 그런데 또 누가 파란색을 좋아해?

내가 만나 본 거의 모든 예술가들. 그런데 파란색을 좋아하는
특별한 이유가 있니?

늘 친절하고 쉽게 설명하는,
어른스러운 화가 카이아.

** 하늘을 나타내는 색이잖아.

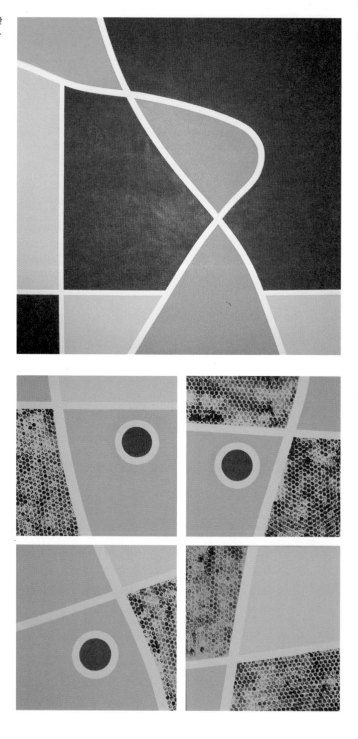

맞아. 모두들 파란색을 좋아하기에 왜냐고 물었더니 하늘의 색이라서 좋아한다는 거야. 누군가가 예술가가 되려고 한다면 일단 파란색과 사랑에 빠져 보라고 말해 줘야겠어.

카이아는 내 말을 듣더니 큰 소리로 웃으며 파란색 튜브 물감을 꺼내 손가락에 조금 짠 다음 책상 위에 있던 종이 위에 조그만 원을 그린다.

네가 좋아하는 파란색이구나.
•• 응, 빛이 들어 있는 파란색. 블루 마린이라고 부르기도 하지. 어렸을 때 나는 작은 마을에 살았는데 집 근처에 나지막한 언덕이 있었어. 나는 그 언덕에서 해 지는 모습을 바라보는 걸 좋아했는데 해가 지고 어둠이 내리기 직전의 파란색이 바로 이 블루 마린이었어. 하지만 그 시절에 나는 파란색보다 빨간색을 더 좋아했지.

그 다음으로 좋아하는 색은 노란색이지?
•• 어떻게 알았어?
네 그림의 색을 봐. 장님이 아니면 알 수 있지.

그때 한 방문객이 들어와서 카이아의 그림을 둘러보더니 벽에 걸려 있는 그림을 가리키며 가격을 묻는다. 방문객은 그림 값을 듣더니 네 개의 그림 중 하나만 살 수 없겠냐고 묻는다. 카이아는 그 네 개의 그림이 모여 하나를 이루기 때문에 곤란하다며 원한다면 하나만 다시 그려 줄 수 있다고 말한다.
또 다른 방문객이 들어와서 왜 그림에 사인을 하지 않냐고 묻는다. 카이아는 그림 안에 사인을 하게 되면 그림의 균형이 깨지기 때문에 뒷면에 사인을 한다고 대답한다. 방문객들의 질문에 친절하고도 조리 있게 대답하는 카이아의 침착한 모습에 나는 잠시 감명을 받는다. 방문객들이 모두 나가자 우리는 얘기를 계속한다.

이곳은 어떻게 알게 됐니? 너도 초기 멤버 중 한 사람이니?

•• 아니야, 여기서 작업한 지는 일 년 반쯤 됐어. 에스토니아 친구 한 명이 여기 1층에서 전시회를 한 적이 있어. 그 친구는 내가 집에서 그림을 그리고 있다는 걸 알고 있었거든. 친구는 내게 이곳은 돈을 내는 곳이 아니니까 와서 파스칼과 의논해 보라고 했어. 그래서 여기에 오게 되었고 괜찮은 곳이란 생각이 들었지만 곧바로 들어올 수는 없었어. 초기박사과정을 마치기 전이었기 때문에 작업하는 데 시간을 낼 수 없었거든. 공부를 마친 후에 여기에 들어왔어.

너도 이곳의 취지에 동의하니?

•• 꼭 그런 건 아니야. 좋은 취지라는 점에는 동의하지만 정신을 집중해서 그림을 그리려고 할 때 그림을 보러 온 방문객들이 방해될 때가 많은 건 사실이야.
그리고 이곳은 잠깐 머무르는 곳이라고 생각해. 여기서만 계속 작업을 하면 별로 발전이 없을 것 같아. 파스칼이 여기서 가장 큰 공간을 사용하고 있지만 그의 작업실 역시 큰 작품을 작업하기엔 충분치 않아. 게다가 사람들이 방문할 때는 그들에게 작품을 감상할 수 있는 공간을 줘야 하는데 그러다 보면 그림을 그릴 수 있는 공간은 겨우 책상 위가 전부거든.

파스칼과는 잘 통하니?

•• 가장 잘 통하는 사람이 파스칼이야.

그의 음악도 좋아하고?

•• 때로는 괜찮고 때로는 참을 수 없어. 나도 그런 테크노 음악을 듣기는 하지만 하루 종일 듣지는 않거든.

참을 수 없을 때는 어떻게 하니? 다른 음악으로 대응하니?

•• 그렇게 한다면 이곳은 아마 지옥으로 변할 거야. 그래서 그냥 있어. 정신을 잃지 않도록 애쓰면서. 나는 작업을 할 때 음악을 아주 엄선해서 들어. 내 움직임과 음은 서로 민감하게 반

블루 마린을 사랑하는 철학도
카이아의 작품들.

작업중인 카이아.

응하거든.

카이아는 복잡한 문제가 생기거나 마음이 어지러운 일이 생기면 일단 철학적으로 냉철하게 사색을 하고 그 다음 단계로 글이나 그림을 그리면서 논리적인 해결 방안을 찾는 것 같다.

카이아에게 물어 보지 않았지만 이 세상에서 제일 싫은 게 뭐냐고 물었으면 그녀는 아무 생각 없이 눈을 꼭 감고 버벅대는 인간이라고 대답했을 것이다. 나는 가끔 카이아가 이별의 선물로 준 그림을 본다. 그 그림을 볼 때마다 그녀가 그림을 그리면서 인생의 커다란 어려움을 아주 조그맣게 만들어서 이겨 내고 있다는 생각이 들곤 한다.

카이아, 너 리스본에 가면 인기 좀 끌 것 같다. 네가 떠나면 파리의 수많은 남자들이 실의에 차겠지. 넌 도대체 어떻게 하다가 그런 미인이 됐니?

▪▪아니야, 에스토니아에 가면 모든 사람들이 나처럼, 아니 나보다 아름다워. 모두 나 같은 금발과 푸른 눈을 가지고 있어.

그러니까 에스토니아 사람들은 기본이 너 정도라 이거지?
▪▪응, 난 예쁘다고 별로 특별 대우를 받아 본 기억이 없거든.
그래? 에스토니아는 나라 자체가 미술관이구나. 살아 있는 예술품이 가득한 미술관.

카이아는 파리에서 생 제르망 데 프레 부근이 제일 마음에 든다고 한다. 내가 생 제르망 데 프레에서 너같이 예쁜 금발 머리는 본 적이 없다고 하자, 카이아도 지지 않고 동양 사람들의 검은 머리카락이 너무나 아름답다고 말한다. 그리고 내게 긴 머리를 좋아하냐고 묻는다. 내가 머리 자를 돈이 없어서 무작정 기르는 거라고 실토하자 카이아가 두 눈을 동그랗게 뜨더니 갑자기 책상 서랍에서 커다란 가위를 꺼내 흔들면서 자기가 성심성의껏 잘라 주겠다며 달려든다. 나는 비명을 내지르며 줄행랑을 쳤다.

"안녕, 카이아. 다음에, 다음에 네게 맡길게."

카이아, 어른스럽고 논리적인 화가.
블루 마린을 사랑하는 감성적인 철학도.

IMAGINEZ
AUTRE CHOSE

# *성디,
## 불법 점거 아틀리에의 역사를
## 낱낱이 기록하는 무단 점거학자

모리스 섬에서 태어나다.
로베르네 집 사람들이 무단 점거자 무리에서
작업 공간을 구하는 예술가 그룹으로
파리 시청의 지원을 받기까지의 과정을
생생한 다큐멘터리 필름으로 제작하고 있다.
유럽의 무단 점거 역사에 정통한 다큐멘터리 감독.

＊원래 성디와는 인터뷰 약속이 없었다. 나는 자밀라를 기다리고 있었는데 성디가 지나가며 일은 잘 진행되어 가냐며, 로베르네 집 사람들을 만나려면 인내심이 강해야 한다면서 '쯧쯧' 하는 표정을 지었다. 얼굴은 알고 있었지만 그가 정확히 뭘 하는 사람인지 몰랐던 나는 그에게 무슨 일을 하고 있냐고 물었다. 그는 로베르네 집에 관한 다큐멘터리를 찍고 있다고 친절하게 대답해 주며 차나 한잔 마시자고 했다.

성디의 작업실은 건물의 가장 위층인 7층에 있다. 아주 좁은 공간에 책상이 놓여 있고 책이 빽빽하게 꽂혀 있다. 책상 위에는 커다란 구형 컴퓨터가 두 대 놓여 있다. 푸코의 책이 여러 권 눈에 들어온다. 푸코를 좋아하냐고 묻자, 성디는 좋아하기보다는 한 번 읽어 볼 만한 책이라고 하면서 내게 푸코의 책을 읽었냐고 묻는다. 나는 푸코라는 사람이 골치 아픈 책의 저자라는 것밖에 모르기 때문에 그의 책과는 전혀 친한 사이가 아니라고 대답하며 슬쩍 말머리를 돌린다. 그러다가 나는 얼떨결에 그에게 기대하지 못했던 흥미진진한 얘기를 듣게 된다.

넌 프랑스인이니?
＊＊(자신의 얼굴을 가리키며) 너는 이 얼굴이 프랑스인의 얼굴이
　라고 생각하니?

물론 아니지만 이민 2세일 수도 있잖아.
＊＊그럴 수도 있겠지만 아니야. 국적으로 말한다면 난 모리스인
　이고 조상의 뿌리를 추적해 보면 인도인이지. 부모님이 인도

165

에서 모리스 섬으로 이주해서 살고 계시니까.

그리고 보니 언젠가 에츠코가 그에게 인도의 전통 의상인 사리 입는 법을 배우는 것을 본 적이 있다. 눈빛 그윽한 인도 여인들이 휘날리며 다니는 그 아름다운 옷이 사실은 기다란 천 하나를 둘둘 감아 입은 것이란 사실을 알고 깜짝 놀랐던 기억이 난다. 그때 에츠코는 기다란 천이 성디의 손에서 신비로운 옷으로 둔갑하는 과정을 지켜보며 소리를 질렀다. "이건 마술이야. 믿을 수 없어!"

모리스 섬에서는 어떤 언어를 쓰는데?
** 크레올어, 영어, 불어.

머리가 나쁜 사람들은 견디기 어려울 것 같다.
** 모리스 섬은 100년 동안 프랑스 통치하에 있었고 그 뒤 150년 동안은 영국의 지배 아래 있었어. 그래서 불어와 영어를 하는 사람들이 많아. 흔히 모리스 섬은 정치적으로는 영국과 가깝고 경제적인 면으로는 프랑스와 가깝다는 얘기들을 해. 영국에도 모리스 섬 사람들이 아주 많아.

그러니까 너는 모리스 섬에서 태어난 거구나.
** 응, 그리고 7년 전에 파리로 와서 지금까지 살고 있어.

성디는 지도를 들고 와서 모리스 섬의 위치를 가르쳐 준다. 모리스 섬은 인도양의 서남쪽, 아프리카 대륙의 동남쪽에 자리 잡고 있다. "모리스 섬의 바다색은 특히 아름다워. 직접 보지 않으면 상상도 할 수 없는 빛깔이지." 하고 그는 덧붙인다.

파리에는 어떻게 오게 되었는데?
** 처음에는 친구를 만나러 왔어. 그때 난 스위스에 살고 있었지. 그러다가 파리에서 본격적으로 공부를 해 보려고 오게 된 거야.

에츠코에게 사리 입는 법을 설명하는 성디.

167

성디의 아틀리에.

모리스 섬은 작은 섬인데, 나는 그중에서도 아주 작은 도시에서 살았어. 그래서 넓고 큰 곳에서 공부해 보고 싶었어. 처음에는 스위스에서 살다가 그 다음에 파리로 온 거야.

가족들은 모두 모리스 섬에 살고 있니?
어머니는 몸이 편찮으셔서 지금 파리에서 치료를 받고 계셔. 하지만 다른 가족은 모리스 섬에서 살고 있어.

살아 본 곳 중에서 어디가 제일 마음에 드니?
물론 가장 살기 좋은 곳은 내가 태어난 곳이지. 하지만 직업을 가지고 일하기 좋은 곳은 좀 달라. 스위스와 프랑스는 작업하기 좋은 곳이라고 생각해. 모리스 섬은 아주 작은 곳이기 때문에 내가 원하는 작업을 하기가 힘들어. 후원자를 찾기도 어렵고 작업을 할 스튜디오도 마땅치가 않아.

여기서 작업하는 건 만족스럽니?

●● 응, 내가 여기에 들어온 이유는 점거 아틀리에에 대한 다큐멘
터리를 만들기 위해서니까. 나는 9년 전부터 이 일에 착수했
어. 유럽의 점거 아틀리에의 역사는 꽤 길어. 1993년 스위스
에 있을 때 처음으로 점거 아틀리에라는 게 존재한다는 사실
을 알았어.

나는 여기에서 작업하는 게 좋아. 친구들과 함께 작업하고,
토론하고, 가끔 콘서트나 영화를 보러 가는 게 큰 즐거움이
지. 게다가 이곳은 나같이 집이 없는 사람에게 일할 공간을
주고 내가 찍고 있는 영화의 소재를 무궁무진하게 마련해 주
고 있으니 더 이상 바랄 게 없지.

다큐멘터리 작업은 어느 정도 진행되었니?

●● 거의 마무리 단계야. 편집하면 90분 분량은 될 걸?

2000년 2월에 여기에 들어와서 나름대로 점거 아틀리에에 관
한 자료를 조사한 뒤 2000년 4월부터 이곳을 촬영하기 시작
했지.

이 스크랩북(유럽의 점거 아틀리에에 관한 기사 스크랩)에는
1992년부터 수집해 놓은 점거 아틀리에 관련 기사들이 있어.
『피가로』지에 실린 영국의 점거 아틀리에 기사가 아주 흥미롭
지. 1992년과 1993년 신문에는 영국의 점거 아틀리에에 관한
기사가 많아. 이는 프랑스에서 점거 아틀리에가 나타나기 전
이지. 그러다가 1994년부터 프랑스에 점거 아틀리에가 나타
나기 시작했어.

성디는 두툼한 기사 스크랩북을 넘기면서 약 30년에 걸친 유럽
의 점거 아틀리에 역사를 친절하게 설명해 준다.

네가 찍은 다큐멘터리는 뭘 보여 주기 위한 거니?

●● 먼저 이곳에서 작업하는 예술가들의 삶을 보여 주는 게 목적
이야. 이곳과 연관된 사람들은 모두 150명 정도이고, 그중 예
술가는 30명 정도야. 이들 모두를 대상으로 한다는 건 무리라

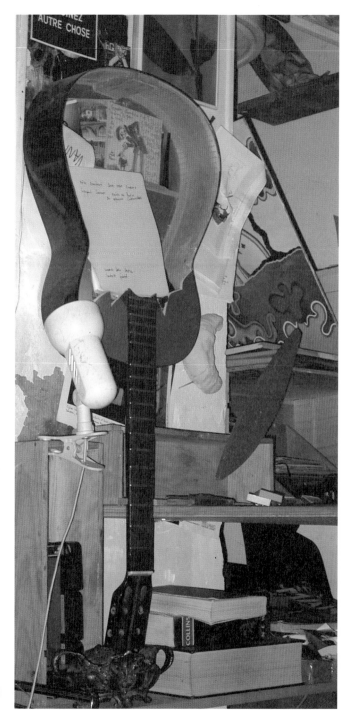

성디의 작품, "철학이
들어 있는 기타."

서 이곳을 점거한 인물들을 중심으로 촬영했어.

어떤 장면을 인위적으로 연출해서 찍는 건 아니고 그들의 삶을 자연스럽게 카메라에 담으려고 애썼지. 그들이 여기서 작업하는 모습이나 다른 사람들과 토론하는 모습 등을 주로 담았는데 그중 바질리오란 인물은 러시아 사람이고 파리에 불법으로 체류한 지 6년쯤 됐어. 또 안이라는 미술 대학 교수도 작업할 공간이 없어서 여기서 작업을 했어. 그리고 가스파르가 있지. 그는 이곳의 모든 콘셉을 생각해 낸 인물이야. 그가 바로 일정한 시간 동안 일반인들에게 이곳을 공개하자는 아이디어를 낸 사람이기도 해. 일반인들을 안내해 주기 위해서 돌아가며 입구를 지키자는 생각을 한 장본인이기도 하고.

특별히 이곳을 촬영 대상으로 고른 이유는 뭐니?

** 가스파르의 아이디어가 아주 신선했기 때문이야. 파리 한가운데 위치한 이곳을 작업장이 없는 예술가들에게 제공하고 일반인들에게 개방해서 현대 미술을 즐길 수 있는 문화 공간으로 만든다는 아이디어가 독특했거든.

촬영을 하면서 특히 어려운 일은 없었니? 또는 기억에 남은 일이나.

** 촬영에 들어간 지 얼마 안 되서 우리는 소송에 걸렸어. 우린 간신히 6개월을 더 머무를 수 있었어. 우린 순수미술협회와 앙케이트 조사를 했는데 첫해 이곳의 방문객 수가 4만 명이나 되었어. 이런 자료를 바탕으로 우린 이곳을 방문하는 시민들에게 우리의 취지와 목표를 설명하고 우리 편에 서 달라고 설득했어. 그렇게 시간이 흘러가던 중 차기 파리 시장의 선거 공약에 이곳을 파리 시의 이름으로 매입한다는 내용이 들어 있다는 소문이 돌기 시작했어. 가스파르와 나는 그를 직접 만나 그 사실이 정말이냐고 물었어. 그는 처음에는 직접적으로 대답하지 않다가 그럴 의사가 있다는 사실을 넌지시 밝히는 거야. 우린 그날 너무나 기뻤어. 난 그 장면을 촬영해 놓았어. 우리는 이를 테면 정원사야. 불모의 땅이던 이곳에 나무를 심

작업중인 성디.

173

고 꽃을 심고 잔디를 깔아서 함께 숨쉴 수 있는 공간을 만들어 가고 있으니까. 나는 우리가 아주 가치 있는 일을 하고 있다고 생각해.

그 다큐멘터리를 완성하면 어떻게 할 계획이니?
** 이제 편집을 해서 1시간짜리 2부작 다큐멘터리로 만들 생각이야. 편집이 끝나면 필름 페스티벌에 출품하려고 해. 네가 번역을 해서 한국에서 방송할 수 있도록 도와 줄래?
물론이지. 가능하다면 나도 돕고 싶어.

성디가 유럽의 장구한 무단 점거 역사를 강의하는 동안 따뜻했던 차는 제 홀로 식어 가고 있다. 그러나 나의 가슴은 점점 열기로 가득 차 오르고 있다. 나는 오랫동안 파리에 살았지만 요즘 같은 기분이 든 적이 없다. 마치 인생 학교에 다니고 있는 듯한 느낌이다. 진짜 학교 말이다.

이들은 말과 말 사이의 침묵 중 내게 말한다. '나는 이런 생각을 하고, 이렇게 생긴 사람이며, 이렇게 살고 있어. 모름지기 이 세상에 한 번 태어났으면 내 생각대로 몸을 움직여서 내 방식대로 살아 봐야 하는 것 아니니?'

성디,
리볼리가 59번지의 역사를
낱낱이 기록하고 있는
무단 점거학자.

# 유럽의 불법 점거 아틀리에 연대기

유럽에서 최초로 빈집 점거가 행해진 곳은 덴마크의 크리스티아나와 네델란드의 암스테르담이다. 이때가 1970년대로, 그 당시에 점거 행위는 유행처럼 퍼져 나가 불법 점거자들의 수가 기하급수적으로 증가했다. 심지어 네델란드에서는 무단 점거란 주제를 다루는 많은 영화가 제작될 정도였다.

그 후 점거 행위는 서서히 영국으로 퍼져나가 1992년 수차례의 무단 점거 사례가 영국에서 보도되기 시작했다. 그로부터 2년 뒤, 1994년에는 프랑스에서 무단 점거의 움직임이 나타나기 시작했는데 드라공가의 빈집 점거가 대표적인 사례로, 가난해서 집세를 내지 못하는 사람들이 빈집을 점거한 형태였다.

특히 유럽의 경제여건이 어려웠던 1980년대와, 베를린 장벽이 무너진 시점을 전후로 이데올로기의 혼란과 경제적인 어려움을 겪은 사람들이 암스테르담, 베를린 그리고 주네브와 같은 도시 변두리의 한적한 장소를 무단 점거하는 사례가 증가했다. 하지만 1990년대로 들어서면서 점거 장소와 점거 행위 자체에 커다란 변화가 일기 시작했다. 점거자들은 자신들의 행위가 불법이 아니라고 주장하며, 몇십 년 동안 비어 있는 건물을 살아 있는 공간으로 만드는 행위는 경제적인 가치를 창조하는 일인 동시에 정치적으로도 옳은 일이라는 주장을 펴기 시작한 것이다. 이러한 주장은 상당히 긍정적인 평가를 받기도 했다.

또한 암스테르담에서는 점거자들이 건물을 거주 공간으로 복원하겠다는 명목으로 정부로부터 공사 비용을 지원받은 사례도 있으며, 스위스의 경우에는 불법 점거자들이 건축가들과 환경 운동단체와 연대해서 정부에 복원 프로젝트를 제시해 은행으로부터 무이자로 복원 비용을 대출받은 경우도 있다. 이렇게 점거 행위가 점점 양성화되자 6개월이나 1년 정도의 점거 행위는 정부에서 그냥 눈감아 준 경우도 상당수에 이르게 되었다.

프랑스의 경우는 다른 나라보다 점거 사례가 뒤늦게 나타났지만 '점거 아틀리에'라는 독특한 형태를 취하고 있어 주목을 받고 있다. 물론 이런 점거 행위 뒤에는 1995년을 전후로 실업률이 큰 폭으로 증가하고 사회복지 정책이 큰 폭으로 축소되면서 겪게 된 사회 불안이 주원인으로 자리하고 있다고 볼 수 있다.

점거 아틀리에란 빈 건물을 점거한다는 점에서 여타의 점거와 다를 바가 없지만 점거자들이 불법 체류자나 집이 없는 사람들이 아니라 작업 공간 즉 일할 공간이 없는 예술가들로 구성되어 있고, 한적한 도시 외곽이 아니라 도심 한가운데를 점거 대상지로 하며, 피카소를 비롯한 많은 유명한 화가들이 작업했던 몽마르트르의 아틀리에인 '바토 라브와(세탁선)'처럼 작업과 전시를 겸하는 아틀리에 형태를 추구하고 있다는 점에서 특이하다. 현재 스위스, 독일, 네델란드에 이곳 리볼리 59번지의 로베르네 집과 같은 형태의 점거 아틀리에가 상당수 있다.

그리고 유럽의 점거 아틀리에들은 보통 여름이면 서로 작품을 교환해서 한두 달 동안 전시를 하는 행사를 벌이고 있다. 파리 시민들은 그와 같은 작품 교류전을 통해서 이웃 나라의 현대 미술을 여름 동안 감상하고 다른 나라의 점거 아틀리에 예술가들도 만날 수 있는 기회를 갖게 된다.

# *칼렉스,
## 겉은 차갑고 속은 따뜻한
## 보온병 같은 조각가

프랑스에서 태어나다.
차가운 금속을 녹여서 따스한 인간의 모습을 빚어 내는 연금술사.
로베르네 집에서 가장 자상한 선배 역할을 하고 있다.
조각가로 살아 가기가 어렵기 때문에
인생이 점점 흥미로워진다는 인물인 그는 외부인을 극도로 경계한다.

✳ 칼렉스는 수수께끼 같은 인물이다. 리볼리가 59번지 로베르네 집의 점거를 주동한 KGB 중 한 사람(그중 두목 격이 아닐까?), 금속 조각가(아주 훌륭하다), 로베르네 집 사람들을 제외한 외부인에게는 항상 간격 온도를 영하 5도 이하로 유지하는 인물.

칼렉스, 내가 왔어. 우리 3시에 얘기하기로 했지?

✱✱ 난 약속은 안 했어. 아마 가능할지도 모르겠다고 했지. 그런데 지금 보다시피 난 크레프 프랑스인들이 간식으로 또는 식사로 즐겨 먹는 일종의 밀전병 반죽을 만드는 중이야. 시간 좀 줘.

그래. 하지만 지금밖에 시간이 없어. 난 내일 떠나.

✱✱ 조금만, 조금만. 거의 끝나 가고 있어.

에츠코가 너와 얘기를 하려면 세게 나가야 한다더라. 하지만 잘 모르는 사람에게 어떻게 세게 나가야 하는 건지 감을 못 잡고 있어. 솔직히.

칼렉스가 크레프 반죽을 하는 동안 나는 그의 작업실에 가서 작품 사진을 찍는다. 못이나 수도관 또는 열쇠를 이용해서 만든 인간의 모습들이 정답게 서 있다. 나는 심술이 나서 혼자 중얼거린다. "금속 조각도 이렇게 다정한 느낌을 줄 수 있는데 너희 아빠는 금속이 아니라 피와 살로 된 인간인데도 왜 그렇게 냉기가 도는지 모르겠다." 나는 다시 부엌으로 향한다.

크레프는 반죽을 해놓은 다음 좀 숙성시켰다가 만들어야 되는 거야?

●● 응, 그런데 너 뭘 알고 싶니?

작업을 한 지 얼마나 됐니?
●● 열 살 때부터 작업을 했어.

예술가가 되기로 결심한 때는?
●● 열 살 때.

정말? 그때 무슨 중요한 계기가 있었던 거야? 망설이지도 않고
결정했어?
●● 물론 계기가 있었지. 본격적으로 조각을 시작하기 전에 다른
    일을 하고 있었으니까.

어떤 일을 했는데?
●● 땅에 커다란 구멍을 뚫고 시멘트 같은 걸 가득 채우는 일.
그 일은 왜 그만뒀는데?
●● 예술이 나를 부르더라고. 그래서 그만두었지.

너는 어떤 걸 주제로 작품을 하고 있니?
●● 인생과 사람들.

왜 조각을 선택했는데?
●● 내 특유의 형태로 생각을 보여 주고 싶으니까. 만약 내가 생
    각을 글로 잘 표현할 수 있었다면 작가가 되었을 거야. 그런
    데 내 글쓰기 실력은 엉망이거든. 그래서 조각으로 얘기해.
    내 글쓰기 형태는 조각이야. 나는 조각하는 게 좋아.

그림도 그리니?
●● 물론.

그림과 조각은 네게 어떻게 다르니?
칼렉스의 아틀리에.    ●● 재료와 감촉이 다르지. 하지만 난 조각을 더 잘하고 조각으로

3층 전시장에 전시된 칼렉스의 작품.

얘기를 만들어.

지금까지 몇 점이나 조각했는데?
**몰라, 셀 수 없어. 난 순간순간 조각을 했으니까. 세어 본 적
도 없고 그럴 필요를 느낀 적도 없어.

예술가의 삶은 쉽지 않다고 생각하는데 너는 어떻게 생각하니?

•• 물론 어렵지. 하지만 아주 흥미로워. 무엇보다 내가 선택한 거니까. 어렵기 때문에 더 흥미로워.

에츠코가 들어와서 햄과 치즈가 가득 든 크레프가 먹고 싶다고 말한다. 칼렉스는 친구에게 전화를 해서 크레프을 먹으러 오라고 한다. 아주 다정한 목소리로.

너 요리를 자주 하니?
•• 응, 그리고 아주아주 잘해.

조각에 관한 아이디어는 어떻게 얻니?
•• 잘 모르겠어. 하지만 나는 슬플 때 좋은 작품을 만들어.

왜? 언제 슬퍼지는데?
•• 사랑에 빠졌을 때. 나는 사랑을 하면 슬퍼지고 작품도 잘해. 하지만 헤어지게 되면 거의 제 정신이 아니어서 아무것도 할 수 없게 되지. 그러다가 끝내 폭발하고 말아. 그리고 나서 더 욱더 좋은 작품을 만들지.

좋은 현상이네.
•• 오, 잔인하다. 헤어지고 작품 잘하는 게 무슨 좋은 일이니? 그런데 한국 사람들은 보통 어떻게 사니? 일을 아주 열심히 할 것 같아.

맞아. 우리나라 사람들은 프랑스 사람들보다 일을 많이 하지.
일 년에 일주일쯤 휴가가 있고.
•• 일주일? 일 년에 일주일 휴가가 다라고?

그리고 대개 토요일도 일을 하지.
•• 나 같으면 죽어 버릴 거야. 말도 안 돼.

사회 전반적인 분위기가 그래야 한다면 너도 그렇게 하지 않을

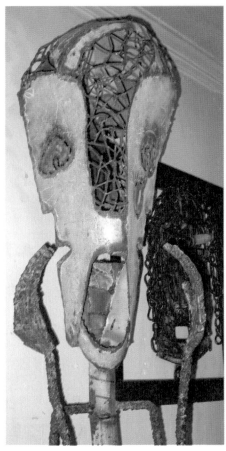

두 가지의 표정을 가진 칼렉스의 작품.

수 없을 거야. 달리 뾰족한 방법이 없다면 말이야. 프랑스의 삶
은 어떠니?

** 아름다움 그 자체지. 자유로움이 있으니까. 그래서 예술가들
이 파리에 사는지도 몰라. 자유를 만끽하기 위해서.

너는 파리에서 태어났니?

** 아니, 하지만 난 파리가 좋아. 시골은 지겨워. 여행도 자주 가
는 편이 아니고 자연에도 별로 관심이 없어. 난 도시가 좋아.
파리에 산 지 12년쯤 됐어.

칼렉스의 작품,
"내일, 나는 죽는 것을 멈출 것이다."

이곳 외에도 무단 점거를 한 적이 많니?

경매에 관해 회의중인
에츠코, 브루노, 베르나르, 마리코.

●● 물론 아주 많지. 그리고 우리의 콘셉이 발전해서 지금에 이르렀지. 이를테면 난 감독이야. 나의 배우들을 데리고 생생한 다큐멘터리를 찍고 있는 거라고나 할까? 그런 기분으로 이곳을 만들었어. 나는 모든 것을 다 지휘해.

미래의 계획은?
●● 살아 가는 것, 그저 근근이 살아 가는 것, 죽을 때까지 사는 것, 그리고 숨쉬는 것, 자유롭게 사는 것.

어린 시절은 어땠니?
●● 과거는 중요하지 않다고 생각해. 이미 지나가 버렸으니까.

난 달라. 과거를 통해 미래를 본다는 말에 어느 정도 동의하거든. 그러니까 말해 줘.
●● 난 시골에서 태어났어. 대가족 속에서 자랐고 개와 고양이도

회의 도중에 선보인,
베르나르와 마리코의 즉흥 퍼포먼스.

있었지. 어렸을 때 어떤 조각가의 집에서 방학을 보낸 적이 있었는데 조각이 무엇인지도 몰랐지만 아름답다는 걸 본능적으로 느낄 수 있었어. 그 이후 줄곧 방학 때면 그의 아틀리에에서 지냈어. 그가 내 인생에 큰 영향을 준 사람이라고 할 수 있지. 그의 작업실에 들어서면 난 늘 감격하곤 했어. 그는 내게 형태를 만드는 법과 조각의 재료에 대해 자세히 설명해 주었어. 망치질을 어떻게 해야 하는지도. 나는 그때 어렸기 때문에 모든 걸 이해할 수는 없었지만 예술가가 되어야겠다는 생각을 마음속 깊이 담아 두었어.

바로 그때 칼렉스의 친구가 크레프를 먹으러 부엌에 나타나

186

자 칼렉스는 입을 다물었다. 한국의 대통령에게 안부를 전해 달라는 말을 끝으로. 인터뷰를 안 하겠다는 칼렉스를 부엌에 잡아두고 야생마를 길들이는 심정으로 간신히 몇 마디를 나누다가, 그럴듯한 본론으로 발전하려는 순간 크레프를 먹으러 나타난 친구 덕분에 고삐를 놓친 신세가 된 나는, 아쉽지만 그쯤에서 칼렉스를 너그럽게 놓아 주기로 한다.

칼렉스와의 인터뷰를 끝내고 브루노의 방을 지나가다 보니 장식용인 줄 알았던 벽난로에 불길이 어린다. 파리의 오래된 집에는 대부분 벽난로가 있는데 로베르네 집도 예외가 아니어서 대리석으로 만든 잘생긴 대리석 벽난로가 브루노의 방에 놓여 있다. 이제 벽난로는 대부분 집에서 더 이상 사용하지 않는 장식품이 되었지만 브루노 방의 벽난로에서는 장작들이 딱딱 소리를 내며 활활 타오르고 있다.

그 앞에 브루노, 베르나르, 에츠코, 파스칼, 마리코 그리고 아니타가 모여 앉아 꽁꽁 언 몸을 녹이며 크리스마스 경매 행사에 관한 회의를 하고 있다. 경매의 취지는 사람들에게 저렴하면서도 희귀한 크리스마스 선물을 마련할 기회를 주선하는 것이라고 한다. 일단 로베르네 집 사람들이 각자 작품을 두 점씩 내서 일정 기간 계단 벽에 전시한 다음 경매에 붙이기로 결론이 난다. 파스칼은 프랑스어를 전혀 이해하지 못하는 마리코에게 진지한 보디 랭귀지로 회의 결과를 설명한다. 마리코는 커다란 눈을 더 크게 뜨고 파스칼의 몸짓을 퍼포먼스를 구경하듯 지켜본다. 진심은 통한다고 하던데?

칼렉스, 겉은 차갑고
속은 따뜻한 보온병 같은 사람.
그러므로 반드시 그에게
따뜻한 물을 부어 봐야 한다.

칼렉스의 작품, "나는 나다."

# 에츠코,
## 느낌으로 말하는 수줍은 동양 소녀

일본에서 태어나다.
대부분의 동양 사람들이 자신의 작품이나 인생관에 관해
이러쿵 저러쿵 말하는 데 익숙치 않은 것처럼
에츠코 역시 그림이란 보고 느끼는 거고
인생이란 살아 봐야 이해할 수 있는 것이므로 설명이 필요없는 게 아니냐고 말한다.
대화란 언어로만 하는 것이 아님에 틀림없다.
나와 에츠코는 동양인의 직관력으로 서로의 많은 부분을,
말을 나누지 않고도 이해할 수 있었기 때문이다.

에츠코는 만화를 보고 있는 중이다. 만화를 좋아하기도 하지만 만화 주인공 같기도 한 그녀는 4층 구석에 있는 아틀리에에 내가 들어서자 "어서 와, 콜라 마실래?" 하고 묻는다. 그리고 검정색 재킷을 스웨터 위에 덧입더니 화장을 안 했기 때문에 사진은 나중에 찍으면 좋겠다고 한다.

●● 아직 프랑스어가 서툴러서 미안해.
이곳에서 우리는 모두 외국인인 걸. 그리고 나는 낙천주의자라서 외국어를 못 하는 게 자랑은 아니지만 부끄러울 건 없다고 생각하며 살고 있어.
●● 네 말을 들으니까 조금 위안이 된다.

여기서는 사람들과 프랑스어로 얘기할 기회가 많아서 말이 쑥쑥 늘 것 같아.
●● 아니, 그렇지 않아. 난 사람들과 얘기를 잘 안 해. 일본사람들은 수줍음을 많이 타. 나는 어휘력도 부족하고 틀릴까 봐 걱정돼서 말을 많이 하지 않아.

여기서 작업하는 데 어려운 점은 없니?
●● 별로 없었어. 나는 운이 좋았나 봐.

이 아틀리에는 열린 공간이라서 모든 걸 관람객들에게 보여 줘야 하잖아. 괜찮아? 난 뭘 그리거나 쓸 때 옆에서 누가 보고 있으면 영 못하겠던데.
●● 아, 그런 거? 나도 가끔 그래. 스케치를 하고 있을 때 누가 보

에츠코의 아틀리에.

고 있으면 계속할 수가 없어. 하지만 스케치를 끝내고 색을 칠하는 단계에 들어서면 사람들이 보고 있더라도 별로 신경이 쓰이지 않아. 뭐라고 설명해야 할까? 구상중일 때는 집중이 필요해서 사람들의 방해를 받고 싶지 않아. 하지만 색을 칠할 때는 이미 작업이 머리에서 손으로 넘어갔기 때문에 방문객들이 보더라도 상관없어.

그런데 왜 화가란 직업을 선택했니?
•• 난 아주 어렸을 때부터 만화 그리기를 좋아했어. 그래서 만화가로 일하다가 음악도 잠깐 동안 연주했고 영화도 좀 찍었어. 그러다가 3년 전부터 화가가 되기로 결심하고 그림만 그려오고 있어. 많은 일을 하다가 그림을 선택한 거지.

그러면 예술 분야에 관련된 공부를 한 거니?
•• 아니, 하지만 앞에서 얘기한 것 외에도 사진이나 패션 등과 같은 여러 가지 일을 해 봤어. 나는 언제나 다양한 일을 해 보고 싶었거든. 그러다가 어떤 한 가지 일에 집중해야겠다는 생각이 들었어. 내가 하고 싶은 많은 일들이 있지만 한 번에 하나씩 골라 집중한 다음 어느 정도 만족할 수 있는 단계에 이르면 또 다른 일에 도전해 보자는 생각이 들었지. 일본에는 "사냥을 할 때 두 마리 토끼를 쫓으면 한 마리도 잡지 못한다."는 오래된 속담이 있어. 그러니까 한 번에 하나씩만 집중

하라는 거지.

어, 우리나라에도 똑같은 속담이 있는데, 재미있다. 네 그림의 주제는 뭐니? 너의 자화상이니?
" 나는 특별히 주제를 정해서 그리지 않아. 일단 기다려. 기다리다가 뭔가가 내게 다가오는 것을 느끼면 바로 그때부터 그리기 시작해.

그런데 네 그림의 숫자들은 뭘 의미하니?
" 그림이 완성된 시간과 날짜야.

그러면 그림의 얼굴도 특정한 사람이 아니겠네?
" 응, 난 그냥 떠오르는 얼굴을 그리는 걸 좋아해.

파리에서 개인전을 해 봤니?
" 많이는 못 했어. 하지만 여기에서 작업하면 여러 가지 제안을 받기는 해. 다음 달쯤 개인전을 열게 될 것 같아. 계약서에 서명을 하고 갤러리 관계자가 와서 그림 선정까지 마쳤는데 아직 정확한 날짜는 정해지지 않았어.

축하해. 그런데 때로는 일본이 그립지 않니?
" 한동안은 좀 그랬어. 하지만 지난 봄에 새로 비자를 받으려고 브루노와 함께 일본에 가서 두 달 동안 있다 왔더니 지금은 괜찮아. 지금 작업을 하고 있는 이곳도 마음에 들고. 일본에서는 직업 화가로 활동해 본 적이 없어서 정확히 비교할 수는 없지만 이곳보다 작업하기가 어렵다고들 해. 전시회를 하려면 우선 돈이 너무 많이 들고 예술이라는 것을 대중적인 것으로 생각하지 않고 어떤 특별하고 고상한 것이라고 생각하는 경향이 있어서 예술과 관객 사이의 간극이 너무 벌어져 있고 여기처럼 무료로 전시회를 할 수 있는 공간도 없거든. 한국은 어떠니, 여기와 같은 공간이 있니?

작업중인 에츠코.

글쎄, 없다고 생각해. 서울 한복판에 비어 있는 건물이 있다고 해도 무단 점거를 감행해서 이곳과 같은 장소로 만들 수 있을지는 의문이다. 아마 불가능할 것 같아.
＊＊ 일본도 마찬가지야. 불가능할 거야.

나는 네 그림도 좋아하지만 마리코의 그림도 마음에 들어. 마리코와 얘기를 해 보고 싶었는데 마리코는 불어를 못 하고 나는 일본어를 한 마디도 못 해서 결국 이야기할 수 없었어. 마리코는 언제나 그림에 마리Mari, 남편라고 사인을 해서 마리코에게 "너는 결혼을 해도 팜므femme, 아내는 영원히 될 수 없고 언제나 남편으로 머물러야 하겠다."고 농담을 했는데 우리 둘 다 전혀 말이 통하지 않아서 썰렁한 유머가 되고 말았거든.
＊＊ (웃음을 터뜨리며) 프랑스인들이 마리코의 사인을 보면 그런 생각을 할지도 모르겠다. 마리코는 얼마 전 로베르네 집의 새 멤버가 되었어. 안이 떠나서 마리코가 그 작업실을 쓰게 될 거야. 지난 번 마리코의 전시회 주제가 뭔지 아니? 바로 "타일랜드의 마사지 걸"이었어. 재밌지? 나도 마리코의 그림이 좋아. 또 브루노의 작품도 좋아하고.

에츠코와 브루노의 공동 작품.

브루노? 개인적으로 아니면 작가로서?
** 개인적으로 그리고 작가로서 모두 좋아해.

　그때 바로 옆 방에서 작업하고 있던 브루노가 들어와서는 대뜸 "너희들 내 얘기했지? 내가 분명히 들었어." 하고 따진다. 에츠코는 브루노에게 "너, 내가 은아와 재미있게 놀고 있으니까 질투하는 거지? 뭐야, 우리 말을 엿듣기까지 하다니." 하고 말한다. 그러자 브루노는 어이가 없다는 듯 "내가? 내가 왜?" 하고 얼빠진 얼굴을 한다. 에츠코는 그에게 난데없이 생 드니에 있는 파키스탄 식당에 가자고 조른다.

생 드니에 특별한 게 있니?
** 응, 분위기가 좋아. 거기 아주 큰 사창가가 있거든. 나는 거기서 일하는 여자들을 보는 걸 좋아해. 그리고 그 근처에 파키스탄 식당이 있는데 아주 싸고 맛있거든. 일본에는 그런 여자

에츠코의 작품들.

마리코의 작품, "타일랜드 마사지 걸."

들이 없어. 내 말은 일본에 사창가가 없다는 게 아니고 여자들의 모습이 아주 다르다는 거야. 생 드니 여자들의 가슴과 엉덩이는 정말 어마어마해.

난 벨빌도 좋아해. 거긴 중국인들이 많이 살고 있어서 독특한 색깔이 있어. 특히 지하철 역 근처가 재미있어. 하지만 자주 가는 편은 아니야. 파리는 지하철과 버스 요금이 비싸서 외출을 자주 하지 않거든.

걷는 건 무료인데?

처음에는 여기저기 많이 걸어 다녔지만 요즘은 거의 이곳을 나가지 않고 그림만 그리고 있어. 나는 좀 게으른 편인데다가 지금은 작업에만 열중하고 있거든. 가끔 여기서 하늘을 쳐다보면 뭐랄까, 영감 같은 게 떠올라. 파리의 하늘은 일본의 하늘과 아주 달라. 아주 거대하다는 느낌을 주거든. 나는 비가 오면 더 나가기가 싫어. 비 맞는 걸 싫어하는데 여긴 아무도 우산을 쓰지 않잖아. 나 혼자 우산을 쓰고 빗속을 걸어가면 너무 슬퍼져. 슬퍼질 때는 맛있는 걸 먹지. 특히 한국 음식이

너무 맛있어. 우리 같이 한국 음식을 먹으러 가자.

그렇게 해서 나, 요스케, 에츠코, 브루노, 마리코는 한국 분식점으로 우루루 몰려가서 맵고 뜨거운 떡볶이를 후후 불며 먹었다. 한국어, 프랑스어, 일본어를 유창하게 구사하는 분식점 주인 아저씨는 떡볶이에 열광하는 이 친구들의 성화에 못 이겨 일본어와 프랑스어로 떡볶이 요리 강습까지 해야 했다. 그리고 음료수는 팔지 않으니 원하면 가게에서 사다 먹으라는 주인 아저씨의 지령에 따라 우리는 식료품점에서 시원한 맥주를 저렴하게 사다가 마음껏 마셨다.

나는 고춧가루 문화권에서 자란 토종 한국인을 제치고 뜨겁고 매운 떡볶기와 김치를 순식간에 먹어 치우는 이상한 인간들을 자존심 상한 표정으로 바라봐야만 했다. 게다가 그 괴상한 인간들은 한사코 자기들이 나를 초대한 거라고 우기며 내 몫의 음식값까지 지불했다. 세계의 소문난 깍쟁이들이 다 모여 있다는 파리에서도 이런 일이 있다.

유럽에서 오랫동안 먹어 보지 못한 고춧가루를 먹어서인지

브루노와 함께.

아니면 오랜만에 느끼는 동양의 미덕에 감동을 받아서인지 저 멀리 떨어져 있는 아시아의 작은 나라가 문득 그리워진다.

거나하게 취한 우리는 고추장이 벌겋게 묻어 있는 입술을 냅킨으로 스윽 닦은 다음 서로를 한 번씩 꽉 껴안고 양 볼에 뽀뽀를 쪽쪽 하고 헤어졌다.

에츠코, 만화와 뜨개질을 좋아하는
수줍은 동양 소녀.

# *제롬, 자밀라, 사라, 그리고 티에리

베르니사주에서 만난
로베르네 집 사람들

✳ 곰 인형 점퍼에 손을 찌르고 눈을 반쯤 감은 채 복도를 배회하고 있는 파스칼과 부딪힌 나. 그의 얼굴 바로 앞에 손을 흔들어 보이며 "파스칼, 너 몽유병을 앓고 있구나. 쯧쯧." 하고 내가 말을 걸자 그는 눈을 몇 번 끔벅끔벅하더니, 어제 새로 전시를 시작한 사진작가의 베르니사주에서 와인을 너무 많이 마셨더니 눈이 안 떠져 직접 손으로 눈을 열고 있는 중이라고 중얼거린다.

로베르네 집에서는 매주 베르니사주가 열린다. 베르니사주란 전시회를 시작할 때, 또는 가끔은 전시 기간 중에 작가가 여는 간단한 다과 파티이다. 대부분 친분이 있는 사람들과 비평가들이 초대되지만 작품과 작가에 관심이 있는 사람이면 누구나 참석할 수 있다. 로베르네 집에서는 거의 매주 초 새로운 전시회가 시작되므로 월요일마다 베르니사주가 열리고 있는 셈이다. 일단 베르니사주에 참석하면 와인을 실컷 마시면서 재미있는 사람들을 마음껏 만날 수 있다. 그래서 로베르네 집 사람들은 지병처럼 화요일의 숙취에 시달리고 있다고 한다.

나도 베르니사주에서 재미있는 사람들을 많이 알게 되었다. 인터뷰를 할 때처럼 녹음기를 틀어 놓고 점잖게 폼을 잡지 않아도 되고 와인도 무료로 제공되니 그렇지 않아도 청산유수로 말을 잘하는 사람들과 한잔하며 이런저런 이야기를 하다 보면 다음날 파스칼처럼 숙취로 눈이 안 떠지는 일을 피해 가기가 매우 어려웠다.

베르니사주에서는 인터뷰를 통해 만나지는 못했지만 이곳을

제롬과 그의 작품.

드나드는 와중에 서로 눈인사를 찡긋 주고받은 제롬, 자밀라, 사라, 티에리와 만나 이야기를 나눌 수 있었다.

제롬은 로베르네 집 2층의 작은 전시장에서 전시를 하는 화가다. 그는 상업 디자이너로서 광고회사에서 일하다가, 약간의 수입만으로도 인간다운 자유를 누릴 수 있는 화가란 직업을 선택했다고 한다. 물론 아직은 그림을 사 주는 사람이 별로 많지 않지만 수입에 대해 무지막지한 세금을 물지 않아도 되고, 클라이언트의 비위를 맞추지 않아도 되는 현재의 직업에 그는 무척이나 만족하고 있다. 그는 유명한 화가가 되고 싶은 마음은 별로 없지만 널찍한 작업실을 구하려면 그 길밖에 없어서 고민중이란다.

지금까지 많은 예술가들을 만나 봤지만 자유롭게 살며 심심치 않게 돈을 벌 수 있어서 화가의 길을 가게 되었다고 말하는 사람은 제롬이 처음이었다. 생각해 보면 맞는 말이기도 하다. 그림을 사 주는 사람이 종종 나타나 준다면 말이다.

그는 큰 붓으로 물을 칠해서 종이를 적신 다음, 먹물에 담가두었던 실을 종이 위에서 움직여 먹물이 종이에 퍼지도록 하는 작업 방법을 직접 보여 주면서 "봐, 아주 간단하지 않니?" 하고

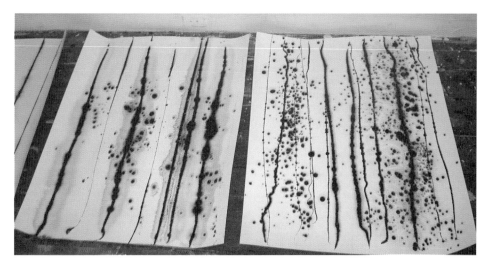

제롬만의 간단하면서도
독특한 방식으로 그린 그림들.

말한다. "왜 그런 방법을 쓰는 거니? 특별한 의미가 있는 거니?"
하고 내가 묻자 "그럼 있고 말고. 붓으로 그리는 것보다 간단하
잖아. 복잡하게 그리지 말고 쉽게 처리하자는 의미를 나타내고
있는 거지."라고 그가 대답한다.

내가 고개를 갸우뚱하며 현대 미술이란 때로 이해할 수 없
다고 하니까 그는 빙그레 웃으며 말한다. "이해하기보다는 이렇
게 생각해 봐. 지금 우리의 질문과 대답처럼 서로 맞받아치는
게 현대 미술이라고. 무의미한 작품에 대해서는 어떤 의문도 제
기할 수 없는 거야." 마치 현대 미술과 같이 알쏭달쏭한 그의
얘기를 얼빠진 얼굴로 듣고 있는데 저쪽에서 한무리의 이탈리아
여자들이 제롬에게 "차오." 하고 인사하며 나간다.

사라지는 그녀들의 뒷모습을 바라보며 제롬은 자신의 운명
의 반은 아무래도 이탈리아 여자에 매여 있는 것 같다고 말한
다. 여자 친구가 이탈리아인이 아니면 최소한 여자 친구의 부모
중 한 사람이 이탈리아인이었다니 그럴 법도 하다. 제롬에게,
그러면 운명을 쫓아 이탈리아에 가서 살아 보라고 권했더니 제
롬은 정색을 하며 그건 극구 사양하겠단다. 무슨 표 한 장을 사
려고 해도 하루 종일, 어떨 때는 사흘 동안 줄을 서야 하는 이탈

얼굴을 조각하고 있는 자밀라.

리아라는 나라는 조직적이고 합리적인 구석이라고는 찾아 볼 수 없는 곳이라면서.

　나는 속으로 생각한다. '그래서 이탈리아 사람들이 매력 있는 거 아니겠어?'

## 제롬, 인생은 예술이고 예술은 곧 사랑이라는 연애지상주의자.

　잠깐 바람을 쐬기 위해 입구에 앉아 있는데 언젠가 피투가 소개해 줬던 자밀라가 나에게 말을 건다. 그녀는 에콰도르를 여행하고 있던 피투를, 열심히 그림을 그리지 않는다고 꾸짖으면서 이곳으로 데려왔다는 바로 그 친구이다. 자밀라는 하루하루가 다른, 변신의 삶을 살고 있는 듯하다. 어떤 때는 온 몸에 바디 페인팅을 하고 로베르네 집 앞에서 정열적으로 춤을 추며 퍼포먼스를 하고 있고, 어떤 때는 고요한 아틀리에에서 무릎을 꿇고 흙으로 뭔가를 빚고 있다. 또 어떤 때는 신들린 듯 그림을 그

자밀라의 작품.

린다. 내가 "자밀라, 너는 여러 가지 작업 중 한 가지에만 열중
해야겠다는 생각은 해 본 적이 없니?" 하고 묻자, 자밀라는 "아
니, 나는 그림 그리는 것, 조각하는 것, 사진 찍는 것, 퍼포먼스
를 하는 것 모두가 재미있고 좋아. 다른 것처럼 보여도 내겐 모
두 하나일 뿐이야."라고 답한다.

"난 친구들과 함께 다음엔 코스타리카에 가서 퍼포먼스를
할 계획이야. 코스타리카에 갈 생각만 해도 벌써 가슴이 뛰어.
상상만 해도 신이나. 난 새로운 곳에 가 보는 게 너무 좋아. 세
상은 너무 넓어. 온 세계를 모두 다녀 보고 싶어. 열아홉 살 때
부터 나는 세계 여러 곳을 돌아다니기 시작했어. 물론 견디기
어려운 순간도 많았지만 배운 점도 아주 많았어. 그중의 하나가

다음에 코스타리카에 가서 할 퍼포먼스의 주제야. 우주에 관한 작품이라고 할 수 있어.

우리는 서로 문을 닫고는 살 수 없어. 각자의 문을 열면 우주가 된다고 생각해. 우리는 점점 자기 중심적으로만 살아 가고 있잖아. 그래서 각자 만들어 낸 서로의 시스템에서 문을 열고 나와서 함께 살아 가자는 메시지를 보여 주려고 해. 무대에 내 그림과 조각을 설치해 놓고 다른 친구들이 작업한 비디오를 프로젝터로 쏘기로 했어. 내가 그 가운데서 우리의 주제를 몸으로 표현하는 퍼포먼스를 할 거야."

자밀라는 말한다. "나는 브랑쿠시의 작품이 좋아. 그래서 파리에 처음 왔을 때 제일 먼저 브랑쿠시의 아틀리에에 가 보았어. 그가 이런 곳에서 작업을 했구나 하며 하나하나 주의 깊게 보았지. 만약 그가 살아 있다면 그의 밑에서 배우는 게 내 소원이었을 거야.

예술가는 언제나 꿈을 꾸고 있다고 생각해. 브랑쿠시는 작업을 하지 않을 때 자신의 생각을 글로 썼대. 네가 내 아틀리에에 오면 꿈꾸는 기분이 든다고 했지? 그건 아마 내 아틀리에에 있는, 나무로 만든 칼카이루스란 조각 때문일 거야. 우리가 잠 들었을 때 아름다운 꿈을 꾸게 해 주는 인디언 혼의 이름이 칼카이루스래."

자밀라의 눈이 밤하늘 아래 꿈꾸고 있는 듯 신비하게 빛난다.

## 자밀라, 새로운 우주 오케스트라의 음을 고르고 있는 여신.

제롬의 베르니사주에서 만난 사라는 열아홉 살로, 로베르네 집에서 두 번째로 어린 예술가이다. 하지만 누구보다도 왕성한 작품 활동을 하고 있다. 로베르네 집 건물 정면에 커다랗게 붙

사라.

어 있는, 깡통으로 만든 사람의 얼굴도 사라의 작품이고 악투로를 따라온 첫날 감탄했던 "욕조 안에서 잠수하는 여자"를 그린 장본인이 그녀이다. 둘이 얘기를 하다가 사라가 바로 그 작품을 그린 장본인이란 걸 알게 되어 어떻게 그런 기발한 생각을 하게 되었냐고 묻자 사라는 "별 것 아니에요. 어느날 비어 있는 욕조를 보고 저 수챗 구멍이랑 사람의 입을 연결해서 그리면 재밌겠는 생각이 들어서 한 번 그려 본 거예요." 하고 겸손하게 말한다. 작품이 너무 마음에 든다니까 그녀는 위층에 있는 자기 아틀리에에서 지금 작업하고 있는 양철 사람을 보여 주겠다고 한다.

키스하는 남녀를 그린 사라의 그림.

"학교에 다니느라 아직도 완성을 못 했어요. 이 사람은 발이 없어서 걷지를 못하죠. 주말이나 돼야 여기서 작업할 시간이 날까 말까 하거든요." 사라의 양철 사람은 발이 없는 모습으로 엉거주춤 하게 몸을 잔뜩 구부리고 있다. 수줍음을 타는 어눌한 폼이 내 마음을 사로잡는다. 양철 사람이 걷게 되면 너와 "오즈의 마법사"에 출연하면 되겠다니까 사라는 깔깔대며 웃는다. 어린 나이지만 따뜻한 눈으로 세상을 바라보는 그녀가 놀랍기만 하다.

"나중에 베를린에서 한 번 작업해 보고 싶어요. 파리는 전시회가 제일 많이 열리는 도시임에도 불구하고 움직임이 없는 정체된 도시지만, 베를린은 현대 미술에 대해 개방적이면서 활발하게 움직이는 도시라는 생각이 들어요. 그래서 베를린과 같이 열린 곳에서 작업을 해 보고 싶어요. 화랑과 상관없는 독립적인 예술가가 되고 싶거든요. 파리에는 화랑이 많아서 좋지만 화랑

208

사라의 미완성 작품인 양철 사람.

관계자들이, 예술가들을 먹여 살리는 장본인이 자신들이라고 말할 때는 화가 나요. 이곳은 화랑 관계자들로부터 독립할 수 있는 장소라서 더 애착이 가요. 우리는 그들의 도움 없이도 매일 전시회를 열고 그림을 팔 수 있어요. 정말 굉장하다고 생각하지 않으세요?"

진짜 파리지엔이라는 사라는 이야기를 계속한다. "그런데 파리의 겨울은 너무 춥죠? 저는 이렇게 우중충한 날에는 초콜릿이 가득 든 따뜻한 크레프를 사 먹어요. 몽파르나스에 있는 크레프

작업중인 티에리.

가게에 가 보셨어요? 거긴 브르타뉴 지방에서 온 사람들이 차린 원조 크레프 가게들이 모여 있어요. 진짜 크레프를 먹을 수 있지요." 사라와 나는 크레프에 대한 열띤 정보 교환을 하다가 서로의 뱃속에서 나는 꼬르륵 소리에 함께 웃음을 터뜨린다.

사라, 따스한 눈으로 세상을 바라보는
어린 예술가.

장화를 이용한 티에리의 작품들.

아참, 키가 훌쩍 큰 티에리도 빼놓을 수 없다. 그는 나를 자신의 베르니사주에 초대했는데 마침 내가 한국에 가기로 되어 있어서 아쉽게도 갈 수 없었다. 티에리는 그림을 그리는 일 말고는 정말 아무 생각이 없는 듯하다. 내가 뭘 물어 보면 그는 대부분 응, 아니, 때로, 글쎄로 대답하기 때문에 그에게서 말을 끌어 내려고 나는 부단히 많은 오버를 했다. 나중에 그는 내 얼굴만 봐도 웃음이 나온다고 소리를 질렀다. 내 어처구니 없는 행동에 웃음을 던져 준 그는 아주 마음씨가 착한 사람임에 틀림없다.

그에 따르면 KGB와 티에리는 1998년도에 마레에 있는 피카소 미술관 바로 앞 건물을 점거한 적이 있다고 한다. 하지만 합법적인 공간으로 만들지 못하고 7개월 정도 머무는 데 그쳤다고 한다. 그 당시 멤버들 중에는 진지하게 작업하는 사람들이 적었기 때문이라는 게 티에리가 말하는 실패 이유이다. 그는 전시회 포스터를 내게 주면서 이번 작품들은 모두 고무 장화를 소재로 한 것이라며 자신의 전시회를 못 보는 나를 위해서 로베르

티에리의 아틀리에 풍경.

네 집의 웹 사이트www.59rivoli.org에 전시회 내용을 올려 놓겠다고
한다.

티에리에게 지난번 그의 아틀리에 갔을 때 냉정한 표정을
짓고 있어 무안했다고 하자 그는 "내가? 내가?"라며 믿기지 않
는다는 표정을 짓는다. "아마 사람들이 그림 그리는 걸 자꾸 가
까이서 들여다보니까 나도 모르게 쑥스러워서 그랬나 봐."

며칠 후 자밀라의 사진을 찍으러 5층으로 올라가다가 티에
리와 다시 마주쳤다.

티에리, 너에게 중대한 질문이 있어.
**뭔데?

12월에 하는 네 전시회 주제가 장화 예술이던데, 장화를 선택한 특별한 이유가 있니?
**아, 장화. 심오한 이유는 없어. 어느날 친구가 장화 한 켤레를 줬어. 그때 마침 작업 아이디어를 짜 내고 있던 중이었거든. 그래서 이걸로 한 번 해 볼까 하는 생각이 들었고, 바로 실행에 옮겼어. 결과가 나쁘지 않아서 계속 빌고 나갔지.

그게 다야?
**응, 왜?
아니야. 대답해 줘서 고마워. 어젯밤 네가 준 전시회 포스터를 보다가 왜 장화를 주제로 한 걸까 하는 의문이 들었거든. 네가 엄청나게 많은 장화를 가지고 있거나, 장화 공장 주인일지도 모른다는 등의 추측을 하느라고 지난 며칠간 잠을 못 이뤘어.

　티에리는 또 엄청나게 요란하게 웃는다. 세상에 태어나 이렇게 웃긴 말은 처음 들어 봤다는 폼으로.

# 티에리, 온 몸 가득 웃음을 숨겨둔 사람.

# 3__모두들 안녕, 아비앙토
## 에필로그

# ✳ 모두들 안녕!

✱✱ 우리 얘기를 쓰고 있다고?

응, 열심히는 하고 있지만 책으로 출판될지 가내 교재로 남을지는 두고 봐야 알 것 같아.

✱✱ 가내 교재라니?

말 그대로 집 안에서 돌려보는 교과서지. 우리 집 사람들은 환금성이 희박한 일을 즐겨 하는 경향이 있거든. 그래서 출판하지 못한 원고나 팔 수 없는 그림, 필름 같은 걸 가족끼리 돌려보며 여가 시간을 보내. 일종의 문화 리사이클링이라고 할까? 또 도서 구입비도 줄일 수 있고.

✱✱ 그것 참 흥미로운 문화적 자급자족이구나. 너도 대안운동에
   관심이 있나봐?

그럼.

✱✱ 하지만 우리가 워낙 괜찮은 사람들이니까. 네 글이 재미없어
   도 가내 교재로는 남지는 않을 거야. 세계적인 명저가 될 게
   분명해.

그래? 그런데 너 지금 내 용기를 북돋워 주고 있는 거니?


나는 로베르네 집 사람들과 이런 말을 나누며 때로는 긴, 때로는 아주 짧은 인터뷰를 했다. 그리고 집으로 돌아가면서 나도 모르게 깊은 생각에 빠져 든 나는 번번이 내려야 할 역을 지나치곤 했다. 어떤 날에는 심하게 앓기도 했다. 말을 하지 않으려는, 수줍음 타는 인간들의 입을 열려고 부단히 노력한 탓도 있지만 일단 입을 연 그들이 내 가슴을 두드리는 말을 너무 많이 쏟아 놓았기 때문이다. 그들은 부도 명예도 가지고 있지 않지만 자신에게 정직하고 성실했다. 그들은 무엇보다 어떻게 하면 행복해질 수 있는지를 누구보다 잘 알고 있는 사람들이었다.

"장식을 떼어 버려. 그리고 네 발을 죄고 있는 구두를 벗어

서 불 속에 던져. 이 세상은 너를 위한 장소이고 너의 의무는 행복해지는 거야. 간단하게 만드는 건 어려운 일이지. 하지만 문제없어. 걱정하지 마. 자신에게 솔직해지면 뭐든지 간단히 만들 수 있어. 그건 자전거 타기와 같아서 한 번 터득하면 잊어버리지 않아."

다음에 만나면 꼭 차차차를 함께 추고 싶은 피투, 사생활 보호 옵션 기능이 뛰어난 핸드폰을 애지중지하는 브루노, 인터넷으로 자신의 작품을 전 세계 사람들에게 보내며 무관심한 세계를 깨우고 있는 아니타, 커다란 뼈다귀가 그려진 자켓을 즐겨 입는 가스파르, 장화 도매상을 하고 있는 게 분명한 티에리, 오즈의 마법사에 나오는 인물 같은 사라, 건강에 좋지 않은 복잡한 내용의 철학책들을 심각하게 읽고 있는 성디, 우주를 방황하는 아름다운 별인 자밀라, 새침떼기 칼렉스, 이탈리아 남자들을 내심 질투하고 있는 제롬, 에스토니아가 살아 있는 예술품들로 꽉 찬 나라라는 일급 정보를 준 카이아, 마음의 눈동자를 가지고 있는 린다, 지킬박사로서 살고 있는 파스칼, 만화와 뜨개질을 좋아하는 에츠코, 가장 부지런한 일꾼 파베스코, 그리고 살아 있는 빛을 그리고 있을 베르나르.

모두들 안녕, 아비앙토.


# ✳ 로베르네 집에 찾아가려면

로베르네 집에 가는 방법은 아주 간단하다. 파리 시내의 지하철을 타고 샤틀레 역에서 내리면 된다.

파리 센 강을 가로지르는 대부분의 지하철 노선은 샤틀레 레알 역을 관통해서 지나간다. 샤틀레와 레알은 엄밀히 말해서 다른 역이지만 두 역이 워낙 가깝고 큰 환승역이므로 지하로 서로 연결되어 있다. 그러므로 레알 역에서 내려도 조금만 걸으면 샤틀레 역에 닿는다.

샤틀레 역에는 여러 개의 출구가 있다. 그중 리볼리가로 나가는 출구로 올라가서 거리를 조금만 두리번거리면 금빛 얼굴의 금속 조각이 건물 전체를 덮고 있는, 리볼리가의 59번지 로베르네 집을 어렵지 않게 발견할 수 있다.

로베르네 집 건물은 큰 쇼핑센터와 백화점에 둘러싸여 있고, 웅장한 파리 시청과 국립 현대 미술관이 있는 퐁피두 센터도 10분에서 15분 거리 이내에 있으며, 조금 떨어진 곳에는 센 강이 흐르고 있으므로 일단 리볼리가 근처에 가면 유쾌한 하루를 보낼 수 있다.

## ✳로베르네 집 방문객을 위한 안내 표지

로베르네 집은 7층 건물이다. 1층에는 쇼핑 중심지답게 옷가게가 들어서 있고 2층에는 작은 전시실이 있다. 3층은 프랑스에서 찾아보기 힘든 무료 화장실을 포함해서 큰 전시실과, 피투, 가스파르, 미국 탐험 중이어서 만나 보지 못한 프란체스코와 스위스 마로캔, 알렉시의 작업실이 있다. 4층으로 올라가면 오른쪽으로는 파스칼, 카필로, 카이아, 말루의 작업실이, 그리고 왼쪽으로는 상탈, 브루노, 에츠코의 작업실이 있다. 5층에는 아니타와 베르나르, 칼렉스, 미셸, 바질리오의 작업실이, 6층에는 코스타리카로 떠나 버렸을지도 모르는 자밀라, 그리고 린다, 디아나, 마리코, 셀린, 오페카, 티에리, 파베스코의 작업실이 있다. 마지막 7층에는 성디, 사라, 오렐리의 작업실과 무용 연습실이 있다.

로베르네 집은 자유로운 전자들이 잠시 머무는 장소이다. 지금도 훌쩍 떠나 버린 누군가의 아틀리에에서 새로운 예술가가 작업을 시작하고 있을지도 모르겠다. 하지만 어디서 누가 작업

**샤틀레 역의 안내 표지와 주변 풍경.**

파리의 노천 카페.

을 하든 방문객들은 그들의 작품을 즐길 수 있고, 직접 예술가들에게 궁금한 점을 질문할 수도 있다.

가끔 카메라 플래시를 끝없이 터트리며 로베르네 집 사람들을 신기한 동물쯤으로 취급하는 방문객들도 있다. 로베르네 집 사람들은 모두 진지하게 작업에 몰두하고 있으며 자신의 삶의 일부분을 용기 있게 보여 주고 있다. 이러한 점을 염두에 두고 우리 구경꾼들은 최소한의 예의를 지켜야 할 것이다.

## 항상 거듭나는 문화의 도시 파리

파리시는 좌파 정치인인 베르트랑 들라노에가 시장으로 당선되면서 더욱 문화적인 도시로 거듭나고 있다. 로베르네 집 역시

옛 정취가 남아 있는 파리의 골목길.

그의 지원이 없었다면 소리 없이 공중분해되고 말았을 것이다.

들라노에는 시장으로 당선된 후 파리 시민들의 자부심을 되찾아 주겠다는 선거 공약을 지키기 위해서 기발하고 독특한 문화 행사를 지속적으로 추진하고 있다.

그는 여름 동안 센 강변의 도로 일부를 완전히 통제하고, 바닷가에서 퍼 온 모래를 강변에 깔고 야자수와 비치 의자를 곳곳에 배치해서 여름 휴가를 떠나지 못한 시민들에게 휴식처를 제공했다. 10월의 마지막 주 금요일과 토요일 밤에는 백야La nuit blanche란 행사를 열어 시민들이 파리 곳곳에서 밤새도록 조명쇼를 포함한 각종 전시회나 공연을 즐길 수 있도록 주선했으며 몽마르트르와 라 빌레트 공원에 대형 스크린을 설치해서 무료로 영화를 상영하기도 했다. 또한 시장은 옛 파리시의 정취를 되살린다는 취지하에 현재 시멘트나 보도 블록이 깔려 있는 지역을 옛날과 같이 조그만 대리석 조각이 깔린 거리로 복원하는 작업도 꾸준히 진행하고 있다.